Hogy gyakoroljál

☺

Niki

Alan Bennett

La dame
à la camionnette

*Traduit de l'anglais
par Pierre Ménard*

Gallimard

Titre original :
THE LADY IN THE VAN

Alan Bennett est né en 1934 à Leeds. Il mena des recherches au sein de l'université d'Oxford avant d'embrasser finalement une carrière d'auteur, d'acteur, de dramaturge, et de scénariste. Il a marqué le théâtre, la télévision et la scène littéraire contemporaine britannique. Son œuvre souvent sarcastique, qui met en scène toutes sortes de personnages dans leur vie quotidienne, a remporté un succès jamais démenti depuis plus de trente ans.

« Un bon naturel, ou ce qui passe souvent pour tel, est la plus égoïste des vertus
et relève neuf fois sur dix d'un tempérament indolent. »

WILLIAM HAZLITT
On the Knowledge of Character (1822)

— J'ai croisé un serpent cet après-midi, me dit Miss Shepherd. Il remontait Parkway. Un serpent gris, très long – un boa constrictor, selon toute vraisemblance… Il avait l'air venimeux. Il rasait le mur de près et semblait savoir où il allait. Il se dirigeait vers la camionnette, selon toute vraisemblance.

Je fus soulagé, en la circonstance, qu'elle ne m'ait pas demandé d'appeler la police, comme elle le faisait habituellement chaque fois que quelque chose se produisait d'un tant soit peu extraordinaire. Peut-être l'événement sortait-il *trop* de l'ordinaire, pour le coup (même s'il s'avéra par la suite que la vitrine d'une animalerie avait été fracassée la veille : il n'était donc pas impossible qu'elle ait vu ce serpent pour de bon). Elle me tendit sa tasse et je la lui remplis, avant qu'elle ne regagne sa camionnette.

— J'ai pensé qu'il valait mieux vous prévenir, ajouta-t-elle, afin que vous soyez sur vos gardes. Les serpents que j'ai croisés dans ma vie ne m'ont pas laissé un excellent souvenir.

Cette rencontre avec l'hypothétique boa constrictor avait eu lieu au cours de l'été 1971 et cela faisait déjà plusieurs mois que Miss Shepherd et sa camionnette stationnaient de manière permanente en face de chez moi, à Camden Town. Je l'avais aperçue pour la première fois quelques années plus tôt, à côté de son véhicule immobilisé comme à l'ordinaire le long de la chaussée, non loin du couvent qui se dressait alors à l'extrémité de la rue. Ce couvent (qui est devenu par la suite une école japonaise) était un bâtiment austère qui évoquait davantage une maison de correction et abritait un contingent déclinant de religieuses largement octogénaires. Il était surtout remarquable pour l'imposant crucifix accroché à sa façade qui semblait surveiller la circulation. Il y avait quelque chose dans la posture de ce Christ plaqué contre un sinistre mur en crépi, sous les fenêtres barricadées du couvent, qui évoquait irrésistiblement le stalag et les miradors : aussi était-il connu dans le quartier sous le sobriquet du « Christ de Colditz ». Miss Shepherd, dont l'allure n'était pas sans évoquer elle aussi la crucifixion, se tenait à côté de son véhicule dans une posture qui devait me devenir familière : le bras gauche tendu et la main plaquée sur sa camionnette, pour bien signifier que le véhicule lui appartenait, et le bras droit brandi dans l'autre sens, prêt à alpaguer quiconque se montrait assez stupide pour lui prêter attention, ce qui était mon cas ce jour-là. Du haut de son mètre quatre-vingts, sa stature avait quelque chose d'imposant et aurait pu être plus impressionnante encore si elle n'avait été fagotée dans une jupe orange et un vieil imperméable constellé de graisse, que complétaient une paire de pantoufles et une casquette de golf à la Ben Hogan. Elle devait approcher de la soixantaine à cette époque.

Bien que je n'aie plus le moindre souvenir de notre conversation d'alors, elle avait réussi à me convaincre de pousser sa camionnette jusqu'à Albany Street. Ce que je me rappelle fort bien, en revanche, c'est avoir été rattrapé par deux policiers en estafette tandis que je m'échinais pour faire franchir le pont de Gloucester à son véhicule. Attendu que celui-ci gênait de toute évidence la circulation, j'avais cru dans ma grande naïveté qu'ils venaient nous donner un coup de main. Mais ils n'étaient pas nés de la dernière pluie... L'autre détail dont je me souviens, lié à cette première rencontre, c'est la manière dont Miss Shepherd conduisait. À peine avais-je posé mon épaule contre l'arrière de son véhicule – une vieille Bedford – que son bras filiforme émergea avec élégance à la fenêtre de la portière, du côté du conducteur, pour indiquer dans le strict respect des règles qu'elle s'apprêtait (ou plus exactement que *je* m'apprêtais) à quitter le trottoir. Quelques mètres plus loin, alors que nous étions sur le point de tourner dans Albany Street, son bras émergea à nouveau et elle l'agita avec insistance pour signifier que nous allions bifurquer sur la gauche : le mouvement avait été exécuté avec une grâce si aérienne et si désincarnée qu'on aurait pu croire ce chapitre du code de la route chorégraphié par Petipa, avec Ulanova en personne au volant. Son intonation se fit toutefois nettement moins distinguée lorsqu'elle s'exclama : « Ça n'avance plus ! » De toute évidence, elle n'imaginait pas que je cesserais de pousser son véhicule et me lança sur un ton véhément que c'était à l'autre extrémité d'Albany Street qu'elle devait se rendre un kilomètre et demi plus loin. Mais j'en avais ma claque, ce jour-là, et je la plantai là sans avoir eu droit au moindre mot de remerciement. Bien au contraire : elle bondit de la camionnette et me courut après en criant que c'était une honte de la laisser tomber de la sorte. Du coup les passants me dévisageaient comme si je venais de commettre à l'égard de cette vieille femme en détresse un crime épouvantable. *Il y a des gens, tout de même...* Telle fut sans doute la pensée qui me traversa. Je me sentais stupide de m'être laissé entraîner dans une équipée pareille, tout en me disant que je me serais sans doute senti beaucoup plus mal à l'aise si je n'avais pas levé le petit doigt. Ces sentiments contrastés – sinon contradictoires – devaient caractériser par la suite toutes les opérations dans lesquelles Miss Shepherd se trouvait impliquée. Il était rare qu'on lui rende le moindre service sans avoir en même temps envie de l'étrangler.

Ce fut un an environ après cet incident, et donc vers la fin des années 1960, que la camionnette fit son apparition dans Gloucester Crescent. À l'époque, cette artère demeurait encore assez composite. Ses grandes villas mitoyennes avaient été construites à l'origine pour loger la classe moyenne, durant l'ère victorienne, mais elles n'avaient cessé de se dégrader depuis lors. Même s'ils n'avaient jamais totalement déchu, la plupart des bâtiments avaient peu à peu été reconvertis en meublés, offrant ainsi une proie facile aux premiers candidats à « l'embourgeoisement », comme on dit de nos jours (préférant ce terme à « l'ascension sociale » d'autrefois). Des jeunes couples – dont beaucoup travaillaient dans la presse ou la télévision – rachetèrent ces maisons, les réaménagèrent et (étape obligée de cette restructuration) abattirent les cloisons pour former au sous-sol une seule et vaste pièce, tenant lieu à la fois de cuisine et de salle à manger. Au milieu des années 1960, j'avais écrit un feuilleton télévisé pour la BBC intitulé *Life in NW1*, construit autour d'une famille de ce genre, les Stringalong, dont Mark Boxen s'est emparé par la suite pour créer le *comic strip* quotidien qu'il a dessiné dans le *Listener* jusqu'à la fin de ses jours. Ce qui rendait le contexte amusant, c'était la disparité entre l'environnement auquel ces nouveaux arrivants se trouvaient confrontés et leurs opinions progressistes : leur culpabilité, pour le dire plus trivialement – celle-là même que les nouveaux bourgeois d'aujourd'hui n'éprouvent plus, nous dit-on (ou à propos de laquelle ils sont censés « ne pas avoir d'état d'âme »). Nous avions des états d'âme, quant à nous, même si je ne suis pas certain que cela nous ait menés bien loin. Il y avait un fossé entre la position qui était la nôtre et nos responsabilités sociales. C'était ce fossé que Miss Shepherd (et sa camionnette) étaient en mesure de venir occuper.

Octobre 1969. Quand elle n'est pas dans sa camionnette, Miss S. passe l'essentiel de sa journée assise sur le trottoir de Parkway, à sa place habituelle, devant l'agence de la banque William & Glyn. Elle vend des petites brochures, intitulées « Une vue juste : sur des sujets importants » et qu'elle rédige elle-même, bien qu'elle ne l'admette pas volontiers.

— Je les vends, dit-elle, mais je préfère considérer qu'elles sont anonymes, en termes de propriété littéraire.

Elle recopie généralement à la craie sur le trottoir le sujet de la brochure du moment : *Saint François a RENONCÉ à son argent*, lit-on ainsi aujourd'hui. Et les clients sont obligés d'enjamber ce message pour pénétrer dans la banque. Elle récolte aussi quelques pièces en vendant des crayons.

— Un monsieur est passé l'autre jour et m'a dit que le crayon qu'il m'avait acheté était le meilleur qu'on puisse trouver sur le marché en ce moment. Il s'en est servi pendant trois mois. Il reviendra m'en acheter un autre prochainement.

D., l'un de mes voisins les plus conformistes (et qui n'a rien d'un nouvel embourgeoisé), m'arrête dans la rue et me demande :

— Dites donc, à votre avis : s'agit-il d'une *véritable* excentrique ?

Avril 1970. Nous avons déplacé aujourd'hui la camionnette de la vieille dame. Un avis d'entrave à la circulation a été glissé sous l'essuie-glace de son pare-brise, spécifiant que le véhicule était garé devant le n° 63 et que cela représentait un danger pour la sécurité de tous. Cet avis, selon Miss S., est purement statutaire.

— Cela signifie qu'il s'applique uniquement au fait d'être garé devant le n° 63 mais n'aura plus la moindre valeur si la camionnette est déplacée.

Personne ne se risque à débattre de ce point avec elle, mais elle n'arrive pas à se décider quant au choix du nouvel emplacement : ira-t-elle se garer devant le n° 61 ou un peu plus loin ? Elle finit par décréter qu'il y a « une place agréable » devant le n° 62 et opte pour cet endroit. Nous nous échinons, mon voisin Nick Tomalin et moi, à pousser l'arrière du véhicule : mais bien que le bras de Miss S. soit élégamment tendu afin d'indiquer qu'elle va déboîter (pour aller se garer cinq mètres plus loin), la camionnette n'avance pas d'un pouce.

— Vous avez desserré le frein à main ? lui demande Nick Tomalin.

Un silence s'ensuit.

— Je m'apprêtais à le faire…

Alors que nous sommes sur le point de déplacer le véhicule, un autre personnage excentrique de Camden Town fait son apparition : un grand échalas d'un certain âge, vêtu d'un long manteau et coiffé d'un feutre mou, arborant une élégante moustache grise et un drapeau de la Primrose League à la boutonnière. Il ôte son gant jaune canari d'une saleté repoussante avant d'empoigner d'une main tremblotante la plaque arrière de la camionnette (OLU 246). Lorsque nous avons déplacé le véhicule des quelques mètres nécessaires, il renfile son gant et nous lance : « Au cas où vous auriez encore besoin de mes services, j'habite juste au coin de la rue » (il

21

fait allusion à Arlington House, le foyer d'hébergement local).

Je demande à Miss S. depuis combien de temps elle possède cette camionnette.

— Depuis 1965, me dit-elle. Mais je ne le crie pas sur les toits. Je l'ai récupérée pour ranger mes affaires. Je suis venue de St Albans avec elle et je compte bien y retourner un de ces quatre. J'ai du mal à joindre les deux bouts en ce moment. Mais j'ai toujours travaillé dans les transports, que ce soit comme chauffeur ou pour des livraisons. Avec ces véhicules recyclés de l'armée, vous savez, ajoute-t-elle d'un air mystérieux. Et j'ai le sens de l'orientation. Je l'ai toujours eu. Je pourrais traverser Kensington les yeux fermés.

Cette camionnette (trois autres devaient lui succéder, au cours des vingt années suivantes) était initialement marron mais avait été repeinte en jaune avant d'atteindre le Crescent. Miss S. adorait le jaune (« la couleur du pape ») et ne se résolvait jamais bien longtemps à conserver la teinte d'origine de ses véhicules. Tôt ou tard, on finissait par la voir faire lentement le tour de son domicile ambulant (bien qu'immobilisé) dont elle badigeonnait peu à peu la carrosserie rouillée, un petit pot de peinture jaune primevère à la main. Avec sa robe longue et son chapeau de paille, elle avait tout à fait l'allure d'une Vanessa Bell qui se serait mis en tête de repeindre une vieille camionnette Bedford... Miss S. ne faisait pas la différence entre la peinture émaillée dont on se sert pour la carrosserie des voitures et la laque ordinaire, qu'elle ne se souciait d'ailleurs pas de mélanger... Résultat, ses divers véhicules donnaient tous l'impression d'avoir été recouverts d'une couche d'œufs brouillés ou de crème anglaise constellée de grumeaux. Les occasions de voir Miss Shepherd réellement heureuse étaient rares, mais lorsqu'elle repeignait ainsi son véhicule, c'était le cas. Quelques années avant sa mort, elle finit par acquérir une Reliant Robin (pour pouvoir mieux ranger ses affaires) qui était effectivement jaune au départ : mais cela ne l'empêcha pas de l'enduire d'une couche de peinture supplémentaire, qu'elle appliqua avec autant de soin que l'aurait fait Monet, se reculant pour juger de l'effet après chaque nouvelle touche de pinceau. La Reliant était garée devant mon portail. Elle a été emportée par la fourrière au début de cette année. Seules quelques gouttes de peinture jaune

le long du trottoir indiquent encore le péri-
mètre de sa dernière résidence.

Janvier 1971. La charité dans Gloucester
Crescent prend parfois des formes élaborées.
Les éditeurs installés dans la maison voisine
viennent de publier un texte classique et ont
organisé un dîner à la romaine hier soir pour
célébrer l'événement. Ce matin, leur fille au
pair est allée frapper à la vitre de la camionnette pour apporter à Miss Shepherd une
assiette garnie des restes de ce repas romain.
Venir en aide à Miss S. n'est pourtant jamais
une mince affaire. Passé minuit, hier soir, je
l'ai vue arpenter le Crescent en brandissant
sa canne d'un air menaçant, tout en criant à
un inconnu de décamper. Puis j'ai entendu
l'individu lui répondre d'une voix plaintive,
avec l'accent typique de la classe moyenne :
— Mais je voulais seulement savoir si vous
n'aviez besoin de rien...

Juin 1971. Il se passe rarement un jour à
présent sans qu'il ne se produise un incident
impliquant la vieille dame, d'une manière
ou d'une autre. Hier soir, aux alentours de
22 heures, une voiture de sport a fait un écart
dans sa direction : le conducteur, un jeune

homme riche et branché d'une vingtaine d'années, s'est ensuite penché pour donner un grand coup de poing sur l'aile de la camionnette, probablement dans l'intention de montrer à sa petite amie goguenarde la vieille sorcière qui habite là. Je l'ai interpellé mais il s'est contenté de donner un coup de klaxon avant de repartir en faisant vrombir son moteur. Miss S. voulait évidemment appeler la police mais cela m'a semblé inutile. D'ailleurs, en me réveillant à 5 heures du matin j'ai aperçu deux policiers occupés au même petit jeu, balayant de leurs torches les vitres du véhicule dans l'espoir de la tirer du sommeil, égayant de la sorte la monotonie de leur ronde. Ce soir, une voiture blanche a remonté la rue en marche arrière à une allure impressionnante avant de freiner bruyamment, arrivée à la hauteur du véhicule. Le conducteur, un grand gaillard encore jeune, a émergé de son bolide et s'est mis à secouer la camionnette avec une rare violence. Espérant sans doute qu'il serait reparti le temps que j'arrive sur les lieux, je suis sorti de chez moi : mais il était toujours là. Je lui ai demandé ce qu'il fabriquait au juste et sa réponse m'a légèrement déconcerté :

— Et vous ? m'a-t-il lancé. Toujours à la

télé ? Vous êtes nerveux ou quoi ? Vous trem-
blez comme une feuille.

Puis il m'a traité de couard et s'est éclipsé.
Au bout du compte, j'ai découvert que Miss S.
n'était évidemment pas dans sa camionnette à
ce moment-là. Et comme d'habitude, j'ai fini
par lui en vouloir davantage qu'à ce rustaud.

Je suis convaincu que ces agressions sont
plus préjudiciables à mon équilibre intérieur
qu'au sien. En menant l'existence qui est
la sienne, elle a dû être quotidiennement
confrontée à ces manifestations de la cruauté
humaine. Certains commerçants de Inverness
Street l'ont persécutée autrefois avec une
délectation toute médiévale – sans parler des
enfants, qui sont eux-mêmes en butte à de
telles cruautés tout en adorant les infliger aux
autres. Une nuit, récemment, deux ivrognes
ont méthodiquement brisé chacune des vitres
de sa camionnette et des éclats de verre lui
ont entaillé le visage. Mais alors que des incidents minimes sont capables de la mettre
hors d'elle, elle ne s'est guère émue de cette
attaque.

— Ils ont peut-être bu un coup de trop
sans s'en rendre compte, m'a-t-elle dit. Ça
arrive parfois, surtout quand on n'a pas assez
mangé. Je ne souhaite pas porter plainte.

Elle s'intéressait bien davantage à « un rouquin que je voyais autrefois dans Parkway, en compagnie de Mr Kroutchev. A-t-il disparu récemment ? ».

Mais le fait d'assister à de telles manifestations de sadisme et d'intolérance à deux pas de chez moi m'affecte profondément. Et à force d'être ainsi sur le qui-vive, à l'affût d'une nouvelle agression gratuite, je n'arrive plus à travailler. Au bout du compte, après une série d'incidents de ce type, j'ai fini par lui proposer de venir s'installer au moins pour la nuit dans l'appentis qui flanque ma maison. Réticente au début, comme chaque fois qu'il s'agit de modifier quelque chose à son organisation, elle a fini par s'y faire et, au fil des deux années suivantes, a peu à peu délaissé sa camionnette pour dormir dans cette cabane.

En lui offrant ce sanctuaire dans mon jardin, et en entamant du même coup un bail qui devait se prolonger pendant une bonne quinzaine d'années, je n'ai jamais eu l'illusion de croire que j'étais animé par un simple esprit de charité. Et j'étais évidemment furieux d'avoir en quelque sorte été poussé à une telle extrémité. Mais autant qu'elle – sinon plus – je souhaitais mener une vie tranquille. Installée de la sorte devant chez moi, du moins était-elle hors de danger.

Octobre 1973. J'ai fait passer le courant dans la cabane et je dois régulièrement réparer le radiateur électrique de Miss S., qui ne cesse d'imploser parce qu'elle branche trop d'appareils à la fois sur la multiprise. Je m'assois sur les marches et me débats avec le fusible pendant qu'elle reste accroupie dans l'appentis.

— Vous n'avez pas froid ? Vous devriez venir ici, j'allumerai une bougie, cela réchaufferait un peu l'atmosphère. Le crapaud s'est montré à deux ou trois reprises, accompagné d'une limace, je me suis demandé s'ils n'étaient pas amoureux. J'ai essayé de l'en détourner mais ça l'a mis sens dessus dessous. Je pensais qu'il finirait par s'attacher à moi.

Elle se plaint qu'il n'y a pas assez de place dans cette cabane et me suggère de lui acheter une tente dont elle se servirait pour ranger ses affaires.

— Il suffirait qu'elle fasse un mètre de haut et il faudrait la planter sur l'herbe, selon toute vraisemblance. Vous pourriez aussi opter pour l'une de ces serres en Sécurit…

Ou même bricoler un abri de fortune à l'aide de vieux imperméables.

Mars 1974. La municipalité a décidé de limiter le stationnement dans le Crescent. Des emplacements ont été réservés aux résidents et des lignes jaunes ont été tracées sur le reste de l'artère. Au début, les ouvriers se sont montrés compréhensifs : ils ont peint leur ligne jusqu'à la camionnette et l'ont poursuivie de l'autre côté, ce qui signifie que le véhicule reste légalement garé à cet endroit. Mais un édile d'un échelon supérieur est venu faire une tournée depuis lors et a ordonné sa mise à la fourrière. L'activité a donc été intense durant toute la semaine et Miss S. a déplacé des quantités impressionnantes de sacs en plastique, traversant la rue puis le jardin pour les entasser dans la cabane. Tout en affichant une foi inébranlable à l'égard de la protection divine, elle a pris soin d'évacuer tous ses effets personnels, au cas où l'on viendrait bel et bien enlever la camionnette. Elle a rédigé une note qu'elle a glissée sous l'essuie-glace, déclarant la décision municipale illégale.

— La note a été déposée dimanche. Je crois qu'on peut émettre des mandats de perquisition le dimanche mais peut-être s'agit-il d'une mesure d'exception. En tout cas, je devrais avoir le droit de m'établir ici, si l'on songe à tous les articles de qualité que j'ai vendus pour trois fois rien dans le quartier.

La question des pneus de la camionnette la préoccupe tout particulièrement. Ils auraient selon elle une vertu miraculeuse :

— Je ne les ai regonflés que deux fois depuis 1964. Si jamais j'avais un autre véhicule (Lady W. menace en effet de lui en acheter un), j'aimerais pouvoir les récupérer et les faire installer sur ce nouvel engin.

La vieille camionnette a été emportée à la fourrière en avril 1974 et une autre lui a succédé sur-le-champ, généreusement fournie par Lady W. (« une catholique attitrée », comme la désignait toujours Miss S.). Tout en se réjouissant de pouvoir lui offrir un nouveau (bien qu'ancien) véhicule, Lady W. ne souhaitait pas pour autant le voir stationner en permanence devant chez elle, ce qui peut se comprendre. Et ce fut ainsi, selon une fatalité peut-être inéluctable, que la camionnette et Miss S. échouèrent toutes les deux dans mon jardin. Ce nouveau bolide était en mesure de rouler et Miss S. insista pour se mettre au volant afin de lui faire franchir le portail et de le garer au pied de chez moi – manœuvre qui lui permit une fois encore d'exécuter le catalogue complet de sa signalétique gestuelle. Une fois la camionnette installée à l'endroit prévu, elle serra le frein à main avec une telle énergie qu'à l'image d'Excalibur nul ne fut plus jamais en mesure de le desserrer et qu'il rouilla lentement sur place. Lorsque la camionnette fut évacuée dix ans plus tard, il fallut faire appel à une grue de la mairie pour l'arracher du sol et lui faire franchir le mur.

Cette camionnette (comme celle qui lui succéda en 1983) occupait désormais la partie pavée située entre ma porte d'entrée et le portail du jardin. Le capot du véhicule touchait presque le battant de ma porte et la portière arrière – dont Miss S. se servait constamment pour aller et venir – se trouvait à un mètre à peine du portail. Les visiteurs qui débarquaient chez moi devaient donc se faufiler tant bien que mal à l'arrière du véhicule, puis longer celui-ci pour atteindre l'entrée. Et tandis qu'ils attendaient qu'on leur ouvre la porte, Miss Shepherd ne cessait de les observer, derrière son pare-brise constellé de taches. S'ils n'avaient vraiment pas de chance, ils découvraient en arrivant la portière arrière grande ouverte, d'où Miss S. laissait pendre ses volumineux mollets blancs. Il était difficile de ne pas remarquer l'intérieur du véhicule, envahi par un conglomérat de vieux vêtements, de sacs en plastique et de nourriture à moitié avariée. Lorsqu'un visiteur inconnu d'elle se risquait à lui adresser la parole, Miss S. se hâtait de replier ses jambes à l'intérieur et de refermer la portière en silence. Durant les premières années de son séjour dans mon jardin, j'avais essayé d'expliquer à mes invités ébahis par quelle suite d'événements nous en étions arrivés là. Mais au bout d'un certain temps, je ne m'en donnai même plus la peine. Et comme je n'y faisais pas allusion, mes invités s'en abstenaient également.

Une fois la nuit tombée, la scène pouvait prendre un tour inquiétant. J'avais fait courir un fil depuis chez moi afin qu'elle puisse installer la lumière et le chauffage dans la camionnette. À travers les lambeaux de tissu qui pendaient le long des vitres, on distinguait la silhouette spectrale de Miss S., agenouillée pour sa prière ou étendue sur le côté, le visage en appui sur sa main, écoutant Radio 4 telle une effigie tombale. Dès qu'elle percevait le moindre mouvement elle éteignait sa lampe et s'immobilisait, à l'affût comme un animal qu'on vient de déranger, attendant que le danger soit écarté avant de rallumer. Elle se couchait tôt et se plaignait lorsque quelqu'un sonnait ou repartait tard dans la soirée. Un jour, Carol Browne sortait de chez moi en compagnie de son mari, Vincent Price, et ils devisaient calmement sur le pas de ma porte. « Bouclez-la ! leur lança une voix depuis la camionnette. Il y en a qui essaient de dormir. » Tel est pris qui croyait prendre : pour un acteur qui avait provoqué la terreur de millions de spectateurs et tourné dans d'innombrables films d'épouvante, c'était un retournement de situation inattendu...

Décembre 1974. Miss S. m'a expliqué pourquoi la vieille Bedford – elle parle de sa camionnette, pas de la salle de spectacle – avait fini par rendre l'âme, « selon toute vraisemblance ». Un jour elle avait fait le plein avec de l'essence qu'elle avait fabriquée elle-même, à partir d'une recette dénichée dans un journal quelques années plus tôt.

— Une cuillérée d'essence, un demi-litre d'eau et une goutte d'un produit qu'on pouvait trouver dans n'importe quel supermarché. Je ne sais pas pourquoi, je m'étais mis dans la tête qu'il s'agissait du bicarbonate de soude, mais je me trompais. Il s'agissait en fait soit du chlorure de sodium, soit du nitrate de sodium. Sauf que j'ai appris entre-temps que le chlorure de sodium, c'est le sel. Quant à l'autre produit, l'employé de chez Boots a refusé de m'en vendre, sous prétexte que cela pouvait provoquer des explosions. Tout de même, vu mon âge, il aurait pu se dire que j'avais le sens des responsabilités. Mais à bien y réfléchir, ce n'est peut-être pas le cas de toutes les vieilles dames.

Février 1975. Miss S. sonne à la porte et lorsque je viens ouvrir elle se précipite vers l'escalier de la cuisine.

— Il faut que je vous parle, je vous ai appelé plusieurs fois. Mais avant cela, je me demande si je ne pourrais pas utiliser vos toilettes.

Je lui dis qu'elle pousse tout de même le bouchon un peu loin.

— Je ne pousse pas le bouchon trop loin, je serais simplement plus à l'aise pour cet entre-tien si je pouvais d'abord utiliser vos toilettes.

Peu après, la voilà assise dans son imper-méable vert, la tête enveloppée de son écharpe pourpre, l'une de ses mains tavelées aux join-tures noueuses posée sur la table immaculée, m'expliquant le procédé qu'elle a imaginé pour « passer sur les ondes ». Il suffirait que je demande à la BBC de me confier une émission où les auditeurs téléphonent (« quelqu'un comme vous doit pouvoir monter un truc pareil en un rien de temps ») et elle appellerait ensuite depuis chez moi.

— À moins que je ne puisse passer dans *Petticoat Line*. J'en sais sacrément plus long en matière de morale que la plupart de ces gens. Je pourrais leur chanter ma chanson au téléphone. C'est une jolie chanson, intitulée *La Fin du monde*. Je ne me risquerais évidemment pas à le faire – je veux dire pas maintenant, devant vous – mais un jour, pourquoi pas. Il faut bien que certaines choses soient dites. Tout cela se ferait sous le couvert de l'anonymat. On pourrait m'appeler « la Dame derrière le rideau ». Ou « une femme d'Angleterre ». Ce serait une sorte de *nom de plume*[1], si vous voulez.

Cette idée de « la Dame derrière le rideau » stimulait de toute évidence son imagination et elle se mit à broder là-dessus, me montrant à quel endroit on pourrait installer ce fameux rideau, elle-même se plaçant du côté du téléviseur et du canapé. Elle se tiendrait là derrière pendant ses interventions.

1. En français dans le texte *(N. d. T.)*.

— Et le reste du temps, je serais une sorte d'invitée de la télévision, une apôtre de la civilisation. Il y aurait sans doute des blancs à l'antenne et on en profiterait pour passer de la musique classique. Par exemple le « Prélude » et le « Liebestraum » de Liszt. Je crois qu'il est entré dans les ordres à la fin de sa vie. Le titre signifie « Rêve d'amour », mais pas dans le sens sexuel. Il s'agit de l'amour de Dieu et de la sanctification du travail, ce qui est tout indiqué pour des célibataires comme vous et moi, selon toute vraisemblance.

Indigné par cette volonté d'unir nos deux conditions sous un même intitulé, je ne tarde pas à la mettre à la porte. Bien que la nuit soit particulièrement froide, je laisse les fenêtres grandes ouvertes afin de chasser l'odeur qu'elle a laissée derrière elle.

« La Dame derrière le rideau » demeura l'un de ses projets favoris et en 1974 elle écrivit à Aiman *(sic)* Andrews : « Maintenant que *This is Your Life*, votre fameuse émission, est terminée après avoir coûté des fortunes etc., je pourrais prendre la relève pendant quelque temps et tenir le rôle à l'antenne de la Dame derrière le rideau. Il suffirait de disposer une tenture qui me dissimulerait tout en me permettant d'apporter des réponses sensées aux questions qu'on me poserait. Le bon sens doit finir par l'emporter. »

L'hygiène aurait mérité de l'emporter, elle aussi... Un beau jour, elle amena elle-même le sujet sur le tapis, peut-être dans l'espoir de me convaincre qu'il fallait lui confier ce rôle.

— Par tempérament, je suis d'une très grande propreté. On m'a remis il y a quelques années une attestation certifiant l'hygiène de mon habitat. Ma tante, elle-même sans domicile fixe, disait souvent que parmi tous mes frères et sœurs j'étais de loin la plus propre, particulièrement en ce qui concernait les régions les moins exposées au regard.

Je n'ai jamais su comment elle se débrouillait au juste pour ses divers besoins sanitaires. Elle m'a demandé une seule fois de lui acheter des rouleaux de papier hygiénique (« je m'en sers pour m'essuyer le visage »). Mais à mon avis, quelle que soit la stratégie qu'elle avait élaborée dans ce domaine, les divers sacs en plastique qu'elle balançait chaque matin hors de sa camionnette devaient y jouer un certain rôle. Lorsqu'elle était encore en mesure de monter un escalier, il lui est arrivé à titre exceptionnel d'utiliser mes sanitaires. Mais je n'ai jamais encouragé une telle pratique :

ma générosité prenait fin à cet endroit précis, sur le seuil des toilettes. Un jour où je faisais faire des travaux dans la maison – et conscient de ce que les ouvriers devaient penser à son sujet – je me risquai à lui dire qu'il planait autour d'elle une vague odeur d'urine.

— Ma foi, cela n'a rien d'étonnant, avec toute la poussière qu'on déverse sur moi à longueur de journée… En plus, je crois qu'il y a une souris dans les parages. Ce doit être elle qui dégage cette odeur, selon toute vraisemblance.

L'émergence de Miss S. chaque matin hors de sa camionnette avait toujours quelque chose de théâtral. Brusquement, sans autre signe avant-coureur, la porte arrière du véhicule se rabattait, révélant les lambeaux de tissu censés dissimuler le fouillis qui régnait à l'intérieur. Il ne se passait rien pendant quelques secondes, puis plusieurs sacs en plastique jaillissaient de ce rideau de fortune, projetés hors de l'engin. Après une nouvelle pause, un pied chaussé d'une pantoufle faisait son apparition et venait se poser prudemment sur le sol, bientôt suivi du second. Le spectateur découvrait alors la tenue qu'elle avait adoptée ce jour-là. Ses chapeaux en particulier retenaient l'attention : un ancien képi noir de cheminot surmonté d'une pointe, qu'elle portait légèrement de travers et qui la faisait ressembler à un aiguilleur éméché ou à un garde républicain français des années 1880 ; une casquette de baseball à la Charlie Brown ; ou encore, en juin 1977, une sorte de parasol en paille octogonal, ficelé sous le menton à l'aide d'une vieille écharpe et agrémenté d'un bout de carton. Elle avait également un faible pour les visières vertes. Ses jupes faisaient penser à des télescopes car elle les rallongeait souvent à plusieurs reprises en se contentant de coudre sur le bord une bande de tissu supplémentaire, sans se soucier d'harmoniser les couleurs. Elle s'était fabriqué une robe en cousant ensemble plusieurs chiffons orange. Quand elle avait maille à partir avec les autorités, elle mettait cela sur le compte de ses vêtements. La police m'appela un soir du commissariat de Tunbridge Wells. On l'avait embarquée et conduite au poste, croyant qu'elle se promenait en chemise de nuit. Elle était absolument indignée.

— Franchement, est-ce que cette robe ressemble à une chemise de nuit ? Des tas de femmes en portent de semblables. Mais cette mode n'a pas encore atteint Tunbridge Wells, selon toute vraisemblance.

Miss S. mettait rarement des bas et portait alternativement des chaussons noirs et des pantoufles marron. Elle avait des mains larges, de grands pieds, et c'était une femme « solidement charpentée », comme aurait dit ma grand-mère. Elle avait l'accent de la classe moyenne, dont elle était originaire, même si son comportement vindicatif et querelleur tendait souvent à brouiller les pistes. Et sa voix n'avait rien d'apaisé ni d'aimable. Des tournures argotiques dignes d'une collégienne parsemaient son vocabulaire. Elle ne disait jamais qu'elle était fatiguée, mais « lessivée ». L'essence était de la « benzine ». Et lorsqu'elle n'était pas disposée à faire quelque chose, elle lançait qu'on « pouvait toujours courir » pour qu'elle le fasse. Toute sa conversation témoignait, dans son lexique, du fanatisme catholique très particulier qui était le sien (« la désastreuse importance des actions de justice »). C'était le langage qu'elle utilisait dans ses brochures et le « selon toute vraisemblance » dont elle émaillait la plupart de ses phrases faisait écho à la formule : « soumise aux lois de l'Église catholique romaine » avec laquelle elle débutait chacun de ses pamphlets.

Mai 1976. Je me suis fait livrer du fumier pour le jardin et comme il a été déversé non loin de la camionnette, Miss S. redoute que les passants ne croient que l'odeur émane de son véhicule. Elle voudrait que je mette une affichette sur le portail, spécifiant bien que ces effluves proviennent du tas d'engrais. Je refuse, sans lui préciser – comme j'aurais pu le faire – que l'odeur du fumier est nettement plus supportable que la sienne.

Je travaille dans le jardin lorsque Miss B., l'assistante sociale, débarque avec un carton de vêtements. Non sans réticence, Miss S. ouvre la portière de sa camionnette, plongée dans l'écoute de *Any Answers*, mais finit par s'asseoir au bord du véhicule pour examiner les vêtements. Elle n'a pas l'air emballé.

Miss S. : J'avais simplement besoin d'un manteau.

Miss B. : Eh bien, je vous en ai apporté trois, au cas où vous auriez envie de changer.

Miss S. : Je n'ai pas la place d'en ranger autant. Et puis, je comptais justement laver celui-ci. Cela m'en fait donc quatre.

Miss B. : Je vous ai aussi apporté ma vieille pèlerine d'infirmière.

Miss S. : J'ai déjà un imperméable.

41

D'ailleurs le vert ne me va pas. Vous avez pu récupérer cette canne ?

Miss B. : Non, elle n'est pas encore arrivée. Il a fallu en faire fabriquer une.

Miss S. : Est-ce qu'elle sera assez longue ?

Miss B. : Oui, c'est une canne spéciale.

Miss S. : Je ne veux pas une canne spéciale, je veux une canne ordinaire. Mais suffisamment longue. A-t-elle un embout caoutchouté au moins ?

Une fois Miss B. repartie, Miss S. s'est assise à l'arrière de la camionnette, brassant lentement le contenu du carton comme un chimpanzé, soulevant et reniflant les vêtements en marmonnant entre ses dents.

Juin 1976. Je suis assis sur le perron en train de réparer mon vélo lorsque Miss S. émerge de son véhicule pour sa promenade du soir.

— Je suis allée dans le Devon samedi, me dit-elle. Grâce à ce frisbee.

Je suppose qu'elle veut parler du *freebie*, cette série de voyages gratuits que les chemins de fer britanniques proposaient aux retraités le week-end dernier.

— Je suis allée à Dawlish. En très agréable compagnie. L'homme qui tenait le haut-parleur s'adressait à nous en disant « Mesdames et Messieurs », comme il convenait. Un seul individu s'est fait gronder, mais il ne faisait pas vraiment partie de notre groupe. C'était le fils d'un des participants, je crois bien.

Et pour la première fois ou presque depuis que je la connais, elle esquisse un sourire et me raconte comment ils ont dû se tasser pour entrer dans cet unique wagon : il y avait vraiment beaucoup de monde, il avait même fallu la hisser à bord.

— J'ai pensé à vous, ajoute-t-elle, cela aurait fait une bonne scène de film.

Et elle reste là dans son imperméable crasseux, des mèches de cheveux gris et raides s'échappent de son foulard. Je suis heureux que les gens aient été gentils avec elle et me demande à quoi pouvait ressembler ce wagon, avec la chaleur qui régnait ce jour-là. Elle me parle ensuite d'une émission qu'elle a entendue à la radio à propos de Francis Thompson, qui avait failli être ordonné prêtre mais, sentant qu'il n'avait plus la vocation, était devenu clochard. Puis, contrairement à son habitude, elle me parle un peu de sa propre vie, du fait qu'elle avait essayé à deux reprises d'entrer dans les ordres, qu'elle avait même commencé son noviciat mais s'était vue contrainte d'y renoncer pour des raisons de santé et avait eu l'impression pendant de longues années d'avoir raté sa vie. Mais elle se trompait : ce n'était pas un échec, au bout du compte.

— Si j'avais pu bénéficier des vêtements d'aujourd'hui, d'un meilleur sommeil et d'un air plus sain, j'y serais arrivée, selon toute vraisemblance. C'était un peu comme une fête, poursuit-elle en revenant à son voyage à Dawlish. Ma fête à moi.

Juin 1977. En cette journée de Jubilé, Miss S. a collé un drapeau anglais en papier sur la vitre arrière fissurée de la camionnette. Elle est la seule, de tout le Crescent. Hier elle portait un foulard auquel elle avait accroché une éponge Spontex bleue en guise de visière, fixée de chaque côté par une grosse épingle de sûreté. L'éponge était censée la protéger du soleil (grand producteur d'eau, comme chacun sait). Le tout ressemblait à la faveur que portaient les chevaliers du Moyen Âge ou à un serre-tête destiné à éloigner les mauvais esprits, mais avait un peu plus d'allure que son faux pas de la semaine dernière, une casquette de l'Africa Korps qu'elle avait dû dénicher chez le marchand de surplus du coin : Miss Shepherd, Renard du Désert.

Septembre 1979. Miss S. me montre une photo d'identité qu'elle a faite dans une cabine à Waterloo. Son visage est cadré trop bas, ses traits sont tirés et le tout fait penser à un portrait mortuaire. Elle est pour sa part enchantée du résultat.

— Généralement, je ne suis pas photogénique. C'est la seule photo de moi à ma connaissance qui me ressemble un peu.

Elle voudrait que je lui en fasse tirer deux exemplaires. Je lui réponds qu'il serait plus simple de retourner en faire d'autres à Waterloo. Mais non, cela serait « au-dessus de ses forces ».

— Je me suis fait photographier un jour en France, quand j'avais vingt et un ou vingt-deux ans. J'avais dû marcher jusqu'au village voisin et résultat, je louchais sur ce portrait. J'ai aperçu l'autre jour la photo d'une femme, sur son titre de transport : on aurait dit une négresse. On n'a pas vraiment envie de passer pour une négresse si on peut l'éviter, n'est-ce pas ?

Juin 1980. Miss S. a enfilé sa tenue d'été : un imperméable à l'envers, exhibant une doublure à carreaux en toile marron et une grosse étiquette garantissant une étanchéité maximum. L'ensemble s'enrichit d'une écharpe en mousseline bleu lavande, retenue par une visière fabriquée à partir d'un vieux paquet de corn-flakes. Elle me demande de lui faire quelques courses.

— J'aurais besoin d'un petit paquet d'Eno, d'un peu de lait et de bonbons gélifiés. Les bonbons ne sont pas urgents. Oh, Mr Bennett... Si vous pouviez aussi me rapporter une petite flasque de whisky... Du Bells, si vous en trouvez, je crois que c'est une bonne marque. Ce n'est pas pour le boire – je m'en sers pour me faire des frictions.

Août 1980. Je suis en tournage et Miss S. me voit partir tôt le matin et rentrer fort tard le soir. Aujourd'hui, à mon retour, sa main décharnée émerge de la camionnette pour me tendre une lettre sur laquelle est inscrit : « À considérer très sérieusement » :

Mr Bennett aurait un moyen moins éreintant de gagner sa vie, selon toute vraisemblance : il suffirait pour cela de s'assurer ma collaboration. Deux jeunes gens pourraient me suivre dans ma voiture, équipés d'une caméra, cela ferait un film amusant, dans le style de Old Mother Riley Joins Up. *Si la voiture calait, ils n'auraient qu'à la pousser. Ils pourraient aussi prendre le bus avec moi et me suivre de loin. La comédie survient sans qu'on s'y attende parfois, et cela pourrait à tout le moins faire un film intéressant, montrant la manière dont une citoyenne d'un certain âge se sert du réseau des transports municipaux, allant un jour à Hounslow, le lendemain à Reading ou Heathrow. Cela devrait faire plaisir aux employés des bus, mais peut-être faudrait-il demander leur autorisation. De la sorte, Mr Bennett pourrait souffler un peu tout en se remplissant aisément les poches, selon toute vraisemblance.*

Octobre 1980. Miss S. s'est mis en tête d'acquérir une caravane et celle qu'elle avait repérée dans *Exchange and Mart*, « avec de jolis petits rideaux et trois couchettes », vient de lui passer sous le nez.

— Bien sûr je n'ai pas besoin d'un véhicule aussi grand, mais je m'en servirais pour ranger mes affaires, ajoute-t-elle (ce qui ne présage rien de bon). Elle a de jolies fenêtres et ne coûte que 275 £. Ils m'ont dit qu'elle était déjà vendue, mais peut-être qu'ils m'ont prise pour une vieille clocharde… J'avais d'ailleurs l'intention de proposer mes services à Mrs Thatcher pour l'aider à résorber la crise. Je ne lui demanderais pas un centime, étant donné que j'ai une allocation, ça ne lui coûterait donc pas grand-chose. Mais elle pourrait me gratifier d'un petit avantage en nature, de temps à autre. Une caravane, par exemple. Je voulais lui écrire mais elle est à l'étranger pour l'instant. Je sais bien ce dont le pays a besoin. Cela tient en un mot : la Justice.

Aucun parti politique ne correspond vraiment aux opinions de Miss S. mais c'est le national Front qui s'en approche le plus. Elle a toujours été viscéralement anticommuniste et avait écrit dès 1945 une lettre à Jésus « concernant l'effroyable menace qui découle des accords de Yalta ». Le problème, c'est que ses opinions, qui n'ont rien de modéré, se sont toujours heurtées à sa conception un peu particulière de la nature humaine. Plus on est vieux et plus on est sage, selon elle, ce qui peut se défendre (encore que ce soit discutable) : mais elle ajoute à cela qu'on est également beaucoup plus sage lorsqu'on est plus grand... Jouir d'une belle stature présente cependant quelques inconvénients, et Miss S. est bien placée pour le savoir : chaque centimètre supplémentaire pèse sur ses nerfs. D'où par exemple le fait qu'étant d'accord pour l'essentiel avec la politique de Mr Heath, la question du Marché commun exceptée, elle pense que Mr Wilson, à titre personnel, a peut-être une vision plus juste en ce qui concerne l'Europe, parce qu'il se trouve dans l'opposition et bénéficie d'un salaire inférieur – mais surtout parce qu'il est plus âgé, de plus petite taille et soumis à de moindres pressions. Elle a toujours été violemment opposée au Marché commun – l'adjectif *commun* est immanquablement souligné lorsqu'elle l'écrit sur le trottoir, comme s'il incarnait à lui seul toute la vulgarité d'une union économique à laquelle elle est farouchement opposée. N'étant jamais d'une grande clarté dans ses pamphlets, elle se montre particulièrement confuse dès qu'elle aborde la question de la CEE. « Il n'y a pas si longtemps, une femme a écrit ou avait l'intention d'écrire (elle ne se souvenait plus à qui) qu'elle se désolidarisait de l'entrée dans le Marché commun et des injustices qu'on pouvait en attendre, ou quelque chose de ce genre. » Mr Powell, qu'elle désignait invariablement sous le sobriquet d'« Enoch », avait vu juste selon Miss S. et elle lui écrivit à plusieurs reprises pour lui témoigner son approbation. Mais en l'absence d'un parti qui lui convienne vraiment, elle avait fini par fonder le sien : le parti Fidelis.

« Ce sera un parti qui se souciera de la Justice (et qui pourra donc se passer de toute opposition). La Justice dans le monde actuel, un monde régi par une monstrueuse ignorance, a besoin de la loi d'un Bon Dictateur, selon toute vraisemblance. »

Miss S. n'a jamais considéré qu'elle se trouvait sur l'échelon le plus bas de la pyramide sociale. Cette place est occupée à ses yeux par « les pauvres les plus désespérés » – c'est-à-dire ceux qui n'ont même pas de toit pour s'abriter. Elle s'estime pour sa part « légèrement au-dessus des plus nécessiteux » et l'une des responsabilités dont elle se sent investie par rapport à la société consiste justement à intercéder en leur faveur, ainsi que pour tous ceux dont Mrs Thatcher n'a pas perçu la situation critique. Si la chose était portée à sa connaissance (et elle a écrit plusieurs lettres dans ce sens à Mrs T.), nul doute qu'un remède y serait bientôt apporté.

Il lui arrive d'écrire de la sorte à d'autres personnalités publiques. En août 1978, elle s'est adressée au collège des cardinaux, alors occupés à l'élection du nouveau pape. « Vos Éminences, j'aimerais humblement vous suggérer que le choix d'un pape plus âgé pourrait s'avérer admirable. Pour ce qui est du savoir et des connaissances, la taille pourrait également être prise en considération, selon toute vraisemblance. » Toutefois, ce pape plus âgé (et avec un peu de chance plus grand) qu'elle appelait de ses vœux risquait de trouver la cérémonie d'investiture un peu éprouvante : aussi, experte comme elle l'était en matière de couvre-chefs, suggérait-elle qu'il évite à cette occasion de porter une couronne aussi lourde : « on pouvait aisément lui en substituer une autre, plus légère, en plastique ou en carton par exemple ».

Février 1981. Miss S. a la grippe et je vais lui faire ses courses. J'attends tous les matins devant la camionnette que sa main crasseuse ait écarté les lambeaux de rideau pourpres, révélant l'obscurité de son antre, comme si j'étais au confessionnal. Les principaux articles dont elle a besoin aujourd'hui sont des biscuits au gingembre (« cela me réchauffe ») et du jus de raisin.

— C'est ça qu'on a dû leur servir pendant les noces de Cana, me dit-elle tandis que je lui tends la bouteille. Jésus ne souhaitait sûrement pas qu'ils roulent sous la table et cette boisson n'est pas alcoolisée. Tout le monde ne partagera peut-être pas mon opinion, mais selon moi c'est bien meilleur que du champagne.

Octobre 1981. Le rideau est déjà tiré ce matin et Miss S., encore revêtue de ce que je considère comme être sa tenue de nuit, me parle du « discernement des esprits » qui lui a permis de sentir une présence angélique à ses côtés lorsqu'elle était malade. Déjà, à l'époque où elle était installée devant l'agence bancaire, elle avait perçu une apparition de ce genre. Et maintenant qu'elle a vu la brochure de sa campagne électorale, il ne peut s'agir (selon toute vraisemblance) que du candidat du parti conservateur pour notre circonscription, Mr Pailey-Tyler. Elle s'embarque ensuite dans une longue dissertation sur son thème favori et usé jusqu'à la corde : la vertu de l'âge en politique. Mrs Thatcher est trop jeune et voyage trop souvent, contrairement au président Reagan.

— Ce n'est pas lui qu'on verrait faire toutes ces volte-face à propos de l'Australie.

Janvier 1982.

— Vous avez vu qu'on avait retrouvé ce soldat américain ?

Elle fait allusion au colonel Dozo, qui a été

enlevé par les Brigades rouges et découvert à la suite d'une fusillade dans un appartement de Padoue.

— Oui, on l'a retrouvé, répète-t-elle d'un air triomphant, et je sais bien grâce à qui.

Songeant qu'il est peu vraisemblable qu'elle ait des accointances avec l'équivalent italien du SAS, je lui demande à qui elle fait allusion.

— À saint Antoine, évidemment, le patron des objets perdus. Saint Antoine de Padoue.

Ma foi, ai-je envie de lui rétorquer, il n'a pas eu à chercher bien loin.

Mai 1982. Alors que je m'apprête à partir pour le Yorkshire, la main de Miss S. émerge du véhicule, semblable à celle du Vieux Marin de Coleridge. Est-ce que je sais s'il y a des escaliers dans la gare de Leeds ? Je lui demande un peu sèchement pourquoi elle me pose cette question, redoutant qu'elle n'ait l'intention de venir camper devant le seuil de mon second domicile. Je comprends assez vite qu'elle a simplement envie d'aller faire un tour quelque part. Je lui suggère Bristol.

— Oui, j'y suis déjà allée. Au retour, j'étais passée par Bath. Une ville agréable. Toutes les voitures étaient bien garées.

Elle évoque ensuite l'époque où elle conduisait ses fameux véhicules recyclés de l'armée, ce qui l'entraînait jusque dans le Derbyshire.

— C'était pendant la guerre, ajoute-t-elle. En fait ça m'avait lessivée.

D'une certaine façon, nous nous engageons sur la pente savonneuse qui l'a entraînée jusqu'ici, quarante ans plus tard, et à l'envie de voyage qui la saisit par cette belle matinée de mai.

Miss S. préfère parler de la « terre » que du « pays ». *Cette terre...* Employé dans ce sens, le terme relève d'une rhétorique proche sinon de la folie, du moins d'une forme d'obsession. Les témoins de Jéhovah – et le national Front – font également allusion à « cette terre ». La terre, c'est le pays plus le destin : le pays tel qu'il se présente devant Dieu. Mrs Thatcher elle aussi parle de « cette terre ».

Février 1983. A. me téléphone dans le Yorkshire pour me dire qu'il y a dix centimètres d'eau dans le sous-sol, la chaudière ayant explosé. Lorsqu'elle apprend cette inondation, Miss S. se contente de déplorer « le gâchis de toute cette eau ».

Avril 1983.

— J'ai mal dormi ces jours derniers, me dit Miss S., mais si j'étais élue mes nuits seraient sûrement meilleures.

Elle veut que je lui ramène les papiers officiels lui permettant de poser sa candidature pour les prochaines élections législatives. Elle sera la candidate du parti Fidelis – dont les membres, déjà peu nombreux au départ, se sont considérablement réduits ces derniers temps. Elle pouvait compter autrefois sur cinq bulletins de vote mais n'en espère plus que deux aujourd'hui, dont le mien : et je n'ose pas lui dire que je voterai pour le parti social-démocrate. Je lui promets toutefois d'aller chercher ces papiers à la mairie.

— Je n'ai pas encore de budget de campagne, me dit-elle, et je n'ai pas envie de faire toutes ces démarches moi-même. Je ne suis pas douée pour ce genre de choses. Les secrétaires pourront s'en charger (car il y aura des frais à engager). Mais pour ce qui est de voter, on peut compter sur moi. Je serai bien meilleure que les autres, selon toute vraisemblance.

Mai 1983. Miss S. me demande d'être son témoin, pour la signature de son acte de candidature. Elle a demandé à plusieurs religieuses d'être ses mandataires.

— L'une des sœurs aurait volontiers signé mais je ne l'avais pas revue depuis plusieurs années et elle n'a plus toute sa tête. Je ne sais pas comment je vais faire pour les brochures électorales. Il va falloir se montrer économe, je n'ai pas les moyens de financer tout ça. Je pourrais peut-être me contenter de rédiger mon programme sur le trottoir : ça se répandrait ensuite comme une traînée de poudre.

Mai 1983. Miss S. a reçu les papiers officiels pour sa candidature.

— Quelle est ma situation ? me demande-t-elle par la fenêtre de la portière. Je me disais que Célibataire endurcie pourrait faire l'affaire, selon toute vraisemblance. On me demande également mon titre. Ma foi, mon titre c'est Mrs Shepherd, ajoute-t-elle en poussant l'un de ses rares éclats de rire. C'est ainsi que certains s'adressent à moi, par simple politesse. Et je n'ai rien contre. Mère Teresa disait toujours qu'elle était l'épouse de Dieu. Je pourrais dire que je suis l'épouse du Bon Berger[1]. Et c'est bien ça finalement

1. *Shepherd* signifie *berger*, ou *pasteur* (N. d. T.).

la fonction du parlement : prendre soin du troupeau. Lorsque je serai élue, croyez-vous que je serai obligée de m'installer à Downing Street ? Ou est-ce que je pourrai gérer les affaires depuis ma camionnette ?

Nous nous reparlons un peu plus tard dans la journée et cette affaire de candidature commence à la fatiguer.

— Vous avez entendu parler du Décret de 1974 ? Apparemment, ça concerne les clauses d'exclusion. Tout ça me donne la migraine. Je pense que nous aurons bientôt d'autres élections, ça m'aura toujours permis de faire un tour de chauffe.

Juin 1984. Miss S. est à nouveau plongée dans *Exchange and Mart* et vient de répondre à une annonce concernant une Morris Minor blanche.

— C'est tout à fait le genre de voiture dont j'ai, ou plus exactement dont j'avais l'habitude. J'ai besoin de pouvoir aller et venir librement.

Je lui rappelle qu'il lui faut un permis de conduire et une assurance, car elle a tendance à considérer ces contraintes comme des formalités aussi négligeables qu'ennuyeuses.

— Ce que vous ne voulez pas comprendre,

c'est que j'ai déjà une assurance. Une assurance dans les cieux.

Elle prétend que depuis qu'elle bénéficie de cette protection, sa camionnette n'a jamais eu la moindre égratignure. Je lui objecte que cela tient sans doute moins à cette bénévolence céleste qu'au fait que son véhicule stationne en permanence dans mon jardin. Elle admet que lorsqu'il était dans la rue, il lui arrivait de se faire bugner.

— Quelqu'un l'a embouti un jour par l'arrière, éraflant la peinture. Je lui ai demandé un petit dédommagement – d'une demi-couronne, je crois bien – mais il n'a rien voulu entendre.

Octobre 1984. Un nouveau tapis a été posé dans l'escalier aujourd'hui. Voyant qu'on s'apprêtait à jeter l'ancien, Miss S. me dit qu'il faudrait l'installer sur le toit de la camionnette : cela constituerait une isolation idéale, tout en atténuant le bruit de la pluie. Cette conversation intervient alors que je m'apprête à partir au travail, et je lui réponds que je ne tiens pas à ce qu'elle décore son véhicule avec de vieux morceaux de tapis – il est déjà suffisamment laid comme ça. Quand je rentre ce soir-là, je découvre qu'une bonne moitié du tapis a tout de même été fixée sur le toit. Je demande à Miss S. qui a fait cela pour elle, étant donné qu'elle est incapable de s'en charger toute seule.

— Un ami, me répond-elle d'un air mystérieux. Quelqu'un de bien intentionné.

Fou de rage, je parviens à arracher l'un des morceaux mais les autres tiennent bon et refusent de bouger.

Avril 1985. Miss S. a écrit à Mrs Thatcher pour lui demander un poste de conseillère au ministère des Transports, «afin de l'aider à résoudre ces problèmes d'alcool au volant». Elle me montre aussi le texte d'une lettre qu'elle compte envoyer à l'ambassade d'Argentine, à l'intention du général Galtieri.

— Ce qu'il ne comprend pas, c'est que la Dame de fer ce n'est pas Mrs Thatcher. C'est moi.

À l'un des responsables
de l'Argentine, le 19 avril 1985

Monsieur,
Je vous écris pour implorer la clémence à
l'égard du pauvre général qui a lancé vos forces
dans la guerre, c'était une personne d'une grande

intelligence. J'ai toujours été préoccupée par la Justice, l'Amour, et si je puis dire, dans cette guerre telle qu'elle se présentait, je tendais la main à votre dirigeant d'alors et l'accueillais dans mon cœur (peut-être était-ce à cause de l'amour de l'éducation catholique qui règne dans les Malouines, par exemple) tout en souhaitant vivement que les négociations se déroulent au mieux, etc. Mais je crains qu'il n'ait alors pensé que c'était Mrs Thatcher qui l'accueillait de la sorte et peut-être cela a-t-il eu une certaine influence sur lui.

Je vous prie donc d'avoir vraiment pitié de lui. Libérez-le, rétablissez-le dans ses fonctions si cela est possible. Vous pouvez lire cette lettre en public si vous voulez justifier la clémence dont vous ferez preuve à son égard.

Je demeure

> *Respectueusement vôtre*
> *Membre du parti Fidelis*
> *(Serviteurs de la Justice)*

P.-S. D'autres ont peut-être contribué à l'influencer aussi.

P.-P.-S. Sans s'en rendre compte, selon toute vraisemblance. Vous pouvez traduire cette lettre en argentin si vous l'estimez nécessaire.

Au cours de l'année 1980, Miss S. avait acheté une voiture. Mais avant qu'elle n'ait le temps de faire la moindre virée à son bord (« elle démarre au quart de tour »), on la lui avait volée. On l'avait retrouvée un peu plus tard, démontée et abandonnée dans le sous-sol d'une HLM à Maiden Lane. J'étais allé récupérer ce qu'il en restait (« la police risque d'en avoir besoin à titre de preuve, selon toute vraisemblance ») et m'étais aperçu que, même si la Mini n'était restée que peu de temps en sa possession, elle s'était débrouillée pour la remplir de son habituel fourbi de sacs en plastique, de rouleaux d'essuie-tout et de vieilles couvertures, tout cela copieusement aspergé de talc. Lorsqu'elle fit l'acquisition d'une Reliant Robin en 1984, il en alla de même : l'engin lui servait aussi bien de véhicule d'appoint que de nouvelle penderie. Miss Shepherd pouvait se permettre ce genre de folie parce que le fait d'être garée dans mon jardin la dotait *de facto* d'une adresse permanente, ce qui lui donnait droit à la Sécurité sociale et aux diverses allocations qui en découlaient. Étant donné que ses seules dépenses concernaient la nourriture, elle arrivait à mettre un peu d'argent de côté : elle avait ainsi un compte chez Halifax et plusieurs livrets d'épargne. J'ai même entendu des passants déclarer qu'elle était millionnaire, sous-entendant par là qu'aucun individu sain d'esprit ne la laisserait s'installer chez lui de la sorte si tel n'était pas le cas.

La Reliant lui a davantage servi que la Mini et il lui arrive de partir le dimanche matin pour aller se garer à Primrose Hill (« l'air est meilleur »), voire de pousser jusqu'à Hounslow. Mais le plus souvent, elle se contente (et je crois bien que cela la contente, en effet) de s'asseoir dans la Reliant et de faire tourner le moteur. Évidemment, comme elle se livre le plus souvent à cette activité le dimanche matin à la première heure, cela n'enchante que modérément les voisins. Par ailleurs, et en dépit de tout ce qu'elle raconte au sujet de sa « vie de conductrice », elle n'a toujours pas compris que faire tourner le moteur d'une voiture ne permet nullement de recharger la batterie, de sorte qu'il m'arrive régulièrement de devoir m'en charger moi-même, tout en sachant que cela ne lui servira qu'à faire tourner un peu plus souvent son moteur. (« Non, non, insiste-t-elle, je me rendrai à Cornwall la semaine prochaine, selon toute vraisemblance. ») Devoir recharger une batterie n'est pas un problème en soi : j'ai surtout honte que quelqu'un me voie penché sous le capot d'une voiture aussi ridicule.

Mars 1987. Les religieuses en haut de la rue – ou plus exactement « les sœurs », comme les désigne toujours Miss S. – lui ont proposé de faire une partie de ses courses. L'une d'elles a déposé un sac à l'arrière de la camionnette ce matin. Il contient les incontournables biscuits au gingembre, ainsi que plusieurs paquets de serviettes hygiéniques. Je comprends qu'il lui soit difficile de me demander d'acheter ce genre d'articles, mais exiger ce service d'une religieuse ne doit pas être très évident non plus. Ces serviettes font partie du complexe dispositif qu'elle a mis en place, relatif à sa toilette, et elle les fait régulièrement sécher sur la plaque incrustée de potage de sa cuisinière électrique. Comme m'a dit le facteur ce matin : « L'odeur qui s'en dégage est parfois difficilement supportable. »

Mai 1987. Miss S. veut étaler une couverture sur le toit de sa camionnette (en plus des lambeaux du tapis) afin d'atténuer le bruit de la pluie. Je lui rétorque qu'au bout de quelques semaines, sa couverture sera imbibée d'eau et d'un aspect repoussant.

— Mais non, me dit-elle, elle sera simplement patinée par les intempéries.

Elle a disposé une affiche du parti conservateur sur l'une des fenêtres latérales de la camionnette. Je suis le seul à pouvoir profiter de ce charmant spectacle.

Ce matin elle est assise à l'arrière de son véhicule. Au moment où je passe, elle jette à la poubelle un paquet vide d'Ariel. La couverture qu'elle a étalée sur sa poussette est couverte de lessive en poudre.

— Le paquet s'est renversé ? lui demandé-je.

— Non, me dit-elle avec mauvaise humeur, irritée de devoir m'expliquer quelque chose d'aussi évident. C'est de la lessive en poudre : lorsqu'il pleuvra, cela nettoiera la couverture.

Assis à mon bureau, je la vois à présent qui se penche au-dessus de la poussette et répartit de manière plus équitable les grains de lessive sur la couverture. Aucune averse n'est annoncée pour l'instant.

Juin 1987. Miss S. a réussi à convaincre les services sociaux de lui procurer un fauteuil roulant : mais ce qu'elle aurait voulu, c'était un modèle électrique.

Miss S. : Le garçon qui habite en face en a bien un. Pourquoi pas moi ?

Moi : Il est incapable de marcher.

Miss S. : Comment peut-il le savoir ? Il n'essaie même pas.

Moi : Miss Shepherd... Il a un spina-bifida.

Miss S. : Ma foi, j'avais le dos voûté quand j'étais petite. La situation n'est peut-être pas dramatique aujourd'hui mais elle était assez préoccupante autrefois. J'ai connu deux guerres, j'étais encore bébé lorsque la première a éclaté et j'ai souffert des restrictions. Et j'étais dans les ambulances pendant la seconde, même si je n'ai pas eu droit aux ATS. Pourquoi les personnes âgées ne sont-elles jamais prises en considération ?

Faustrée de ne pas avoir pu obtenir un modèle électrique, Miss S. s'est consolée en faisant l'acquisition (je n'ai jamais su comment) d'un second fauteuil roulant (« au cas où le premier tomberait en panne, sait-on jamais »). L'inventaire complet de ses engins à roues, motorisés ou non, comporte donc désormais : une camionnette ; une Reliant Robin ; deux fauteuils roulants ; et deux poussettes pliantes, dont une à deux places.

De temps à autre, je réduis le nombre des poussettes en allant en balancer une dans une benne à ordures. Elle met ces disparitions sur le compte des gamins du quartier (qui n'ont jamais eu ses faveurs) et ne tarde guère à combler cette perte en récupérant une nouvelle poussette chez Reg, le brocanteur du coin. Miss S. n'a jamais maîtrisé la technique de propulsion du fauteuil roulant et refuse de se servir de la roue manuelle située à l'intérieur (« je n'y arrive pas avec tous ces machins »). Au lieu de ça, elle préfère se propulser à l'aide d'une paire de béquilles, ce qui lui donne l'allure d'une skieuse sur terrain plat. Elle a d'ailleurs fini par me demander d'enlever la roue manuelle (« ce poids supplémentaire n'est pas bon pour ma santé »).

Juillet 1987. Arborant une visière d'un vert éclatant, une jupe mauve, un cardigan marron et une paire de chaussettes fluo bleu turquoise, Miss S. se fraie un chemin malaisé jusqu'au portail dans son fauteuil roulant. La manœuvre compliquée à laquelle elle se livre serait grandement simplifiée si elle se contentait de pousser le fauteuil à l'extérieur, comme elle pourrait fort bien le faire. Un passant a pitié d'elle et la pousse d'un pas alerte jusqu'au supermarché. Enfin… pas si alerte que ça : le déplacement est rendu laborieux car Miss S. s'obstine à laisser traîner ses pieds par terre, de sorte que les efforts du bon samaritain se voient constamment entravés. Ses jambes sont si maigres à présent que ses grands pieds chaussés de leurs éternelles pantoufles s'étalent avec une sorte de paresse nonchalante, évoquant ceux d'un chameau.

Le moment arrivera pourtant, comme dans tous les voyages, où elle pourra se réjouir de cet incident. Une fois revenue du supermarché, elle demande à l'individu qui a poussé son fauteuil (et qui n'a évidemment pas eu droit au moindre mot de remerciement) de la laisser en face du portail, au milieu de la rue. Et là, après s'être assurée que personne ne l'observe, elle soulève les pieds et franchit en roue libre les quelques mètres qui la séparent de l'entrée. L'expression de son visage est alors celui du plaisir à l'état pur.

Octobre 1987. Je reviens d'un tournage à l'étranger.

— Pendant votre séjour en Yougoslavie, me demande Miss S., avez-vous rencontré la Vierge Marie ?

— Non, lui dis-je, il ne me semble pas.

— Ah, pourtant elle apparaît souvent là-bas. Elle y apparaissait même tous les jours pendant plusieurs années.

Elle me dit ça comme si j'avais raté la principale attraction touristique du pays.

Janvier 1988. Je demande à Miss S. si c'était bien son anniversaire hier. Elle acquiesce avec circonspection.

— Vous avez donc eu soixante-dix-sept ans ?

— Oui. Comment le savez-vous ?

— J'ai vu ça, le jour où vous avez rempli le formulaire pour le recensement.

Je lui donne la bouteille de whisky que j'ai achetée pour elle, en lui précisant bien qu'elle est destinée à ses frictions.

— Oh, merci.

Un temps.

— Mr Bennett... Ne le dites à personne.

— Vous voulez dire : pour le whisky ?

— Non, pour mon anniversaire.

Un temps.

— Mr Bennett...

— Oui ?

— Ne parlez pas du whisky non plus.

Mars 1988.

— J'ai fait un petit ménage de printemps, me dit Miss S.

Elle est agenouillée devant un décor d'une saleté repoussante et dans un état de délabrement digne de Kienholz. Elle m'informe qu'elle a discuté avec l'assistante sociale de la possibilité de louer un petit pavillon : elle serait prête à y apporter sa contribution, « d'une centaine de livres environ ». Il est possible que ce bungalow contienne de l'amiante :

— Mais je pourrais porter un masque. Ça ne me dérangerait pas et bien sûr ça aurait des avantages, notamment en guise de protection contre les incendies.

Elle porte des mitaines découpées dans de vieilles chaussettes. Une serviette hygiénique sèche sur sa cuisinière électrique, à côté d'une brochure en papier glacé de chez Halifax proposant « d'extraordinaires perspectives d'investissements ».

Avril 1988. Miss S. me demande de convaincre Tom M. de la photographier, elle en a besoin pour sa nouvelle carte de transport.

— La situation serait digne d'une comédie, vous comprenez : se retrouver dans un bus avec une carte périmée. Vous pourriez gagner des fortunes avec un scénario pareil et ça ne vous demanderait pas beaucoup d'efforts, selon toute vraisemblance. J'étais une tragédienne née, ajoute-t-elle. Ou peut-être une comédienne... L'une ou l'autre en tout cas. Mais je ne m'en suis pas aperçue assez tôt. J'ai de grands pieds... (Elle tend ses chevilles rougeaudes dénuées de bas.) De grandes mains... (Ses doigts sont noirs de crasse.) Je suis grande, les gens trébuchent et manquent souvent se casser la figure en passant à côté de moi, tout ça c'est de la comédie. Je préférerais qu'il en aille autrement, bien sûr, et que les choses soient plus faciles, mais c'est ainsi. Je ne vous dis pas que vous devriez forcément le faire, se hâte-t-elle d'ajouter, sentant qu'elle s'est avancée trop loin sur le terrain de la confidence. Mais simplement que ça amuserait peut-être les gens.

Elle a débité sa tirade d'un air impassible, sans l'ombre d'un sourire, assise dans son fauteuil roulant, les mains serrées entre les genoux et sa casquette de baseball vissée sur le crâne.

Mai 1988. Installée sur son fauteuil roulant, Miss S. trône dans la rue, un pot de peinture à la main, et apporte une dernière touche à la carrosserie de la Reliant dans laquelle elle ne tardera pas à prendre place pour faire tourner le moteur une bonne demi-heure durant, avant de redescendre la rue à bord de son fauteuil. Elle a réussi à convaincre Tom M. de réviser l'embrayage, mais sous certaines conditions. Il ne devra pas le faire ce dimanche, fête de St Pierre et Paul et journée d'obligation. Le dimanche suivant ne convient pas non plus, apparemment, car l'Assomption tombe un lundi cette année et sera fêtée la veille. Dans le chaos de son existence – et, me semble-t-il, de ses incontinences plus ou moins prononcées – elle se fraie au milieu de ce champ de mines liturgique un chemin d'une précision dévote, si ce n'est fanatique.

Septembre 1988. Miss S. réfléchit à nouveau à la possibilité de prendre une location, bien qu'il ne s'agisse pas de celle que les services sociaux de la mairie lui avaient proposée il y a quelques années. Elle vise cette fois-ci un endroit situé nettement plus près de chez elle – c'est-à-dire de chez moi. Nous en avons parlé dans le jardin et je l'ai laissée sur les marches du perron tandis que je retournais travailler. Les choses se passent souvent ainsi : je suis assis à mon bureau, soucieux de poursuivre, tandis que Miss S. déambule et marmonne à l'extérieur. Cette fois-ci, elle continue de réfléchir à cette location et soliloque dans son coin, tout en sachant que je peux fort bien l'entendre.

— Il n'y a pas besoin que ce soit immense, une simple chambre ferait l'affaire. Bien sûr, comme je ne peux pas monter les escaliers, il faudrait que ce soit au rez-de-chaussée. Mais je pourrais aussi participer financièrement à l'installation d'un ascenseur. (En haussant le ton.) Et cet ascenseur ne serait pas un mauvais investissement, les propriétaires pourraient en bénéficier dans leur grand âge... Qui ne saurait d'ailleurs tarder, ils feraient bien d'y songer.

Le ton de ce discours a quelque chose d'étrangement familier : je réalise brusquement qu'il ressemble à ces monologues faits-pour-être-entendus du William de Richmal Crompton.

Sa tenue ce matin : une jupe orange, confectionnée à partir de trois ou quatre grands torchons ; une veste satinée à rayures bleues ; un foulard vert ; et une visière bleue surmontée d'une casquette kaki où figurent un portrait de Rambo et un badge orné d'une tête de mort.

Février 1989. La religion de Miss S. est un curieux mélange de foi traditionnelle et de croyance dans les pouvoirs d'une pensée positive. Ce matin, comme d'habitude, la batterie de la Reliant est à plat et elle me demande de la recharger. S'ensuit notre éternelle discussion :

Moi : Je ne suis pas surpris qu'elle soit à plat. Cela finira forcément par se produire, tant que cette voiture ne roulera pas. Faire tourner le moteur ne recharge pas la batterie. Pour cela, il faut que le véhicule avance.

Miss S. : Ne dites pas des choses pareilles. Cette voiture est spéciale. Les miracles existent. La foi existe. Ça ne sert à rien d'avoir des pensées négatives. (Elle appuie à nouveau sur le starter et le moteur tousse faiblement.) Vous voyez bien... Le diable vous a entendu. Vous ne devriez pas tenir des propos aussi négatifs.

L'intérieur de la camionnette est désormais dans un état indescriptible.

Mars 1989. Assise dans son fauteuil roulant, Miss S. essaie d'ouvrir avec sa béquille le loquet du portail. Elle fait une première tentative avec l'une des extrémités de la canne, puis la retourne et essaie avec l'autre bout. Assis à mon bureau, je tente de travailler et je l'observe négligemment, un peu comme on regarde une fourmi qui cherche à franchir un obstacle. Elle cogne à présent sur la porte, pour attirer l'attention d'un passant. Puis elle se met à gémir – à gémir en martelant la porte. Je finis par sortir. Elle interrompt ses gémissements et m'explique qu'elle doit aller faire sa lessive. Tout en l'aidant à franchir le portail, je lui demande si elle a tout ce qu'il lui faut. Elle me dit que oui, mais qu'elle aura besoin d'aide. Je lui explique que je ne peux pas la conduire jusque là-bas. (Pour quelle raison, d'ailleurs ?) Non, non, elle ne m'en demande pas tant, mais pourrais-je au moins la pousser jusqu'au coin de la rue ? Je m'exécute. Ne pourrais-je pas la pousser un peu plus loin ? Je lui explique que je ne peux pas l'emmener jusqu'à la laverie (qui a d'ailleurs fermé récemment – dans quelle laverie compte-t-elle se rendre…). Finalement, me sentant un peu dans la peau de Fletcher Christian abandonnant William Bligh sur une chaloupe du *Bounty*, je la laisse sur son fauteuil roulant, devant la maison de Mary H. Quelqu'un finira bien par s'occuper d'elle. Ma honte serait plus grande si je n'avais pas la certitude que même lorsqu'elle est souffrante, elle sait fort bien ce qu'elle fait.

Mars 1989. Il y a une fine couche de talc à l'arrière de la camionnette, ainsi que des débris de mouchoirs en papier bizarrement froissés et visiblement imprégnés de merde, encore qu'il soit difficile de l'affirmer avec certitude. Aucun doute en revanche concernant le corps principal du délit, une couche de protection abondamment souillée. Pour recueillir ces déchets, j'utilise une méthode qui doit être familière au personnel de la centrale de Sellafield. J'enfile des gants en caoutchouc, enveloppe mes mains dans un sac en plastique en guise de protection supplémentaire et regroupe ensuite ces divers excréments, avant de les soulever avec précaution et de les jeter à la poubelle.

— Ces ordures ne sont pas à moi, lance une voix depuis l'intérieur de la camionnette. Le vent les a poussées sous le portail et apportées jusqu'ici.

Avril 1989. Miss S. m'a demandé de téléphoner aux services sociaux et je lui dis qu'une assistante sociale doit passer la voir.

— À quelle heure ?

— Je l'ignore, mais vous serez ici, de toute façon. Cela fait une semaine que vous n'avez pas mis le nez dehors.

— Ça pourrait m'arriver. Des miracles se produisent parfois. De plus, il aura peut-être de la peine à me parler. Je ne serai pas forcément à l'arrière de la camionnette. Je serai peut-être de l'autre côté.

— Vous l'entendrez bien, même si vous êtes à l'avant.

— Et si je suis au milieu ?

Miss C. pense que son cœur est en train de la lâcher. Elle l'appelle Mary. Cela me fait un drôle d'effet, bien que ce soit effectivement son prénom.

Avril 1989. L'un des articles de base dans la liste des commissions de Miss S., ces derniers jours, ce sont les citrons givrés. J'en ai déjà tout un stock à la maison mais elle insiste pour que je lui en achète d'autres, de manière à ne pas entamer ces réserves.

— Je ne peux plus m'en passer, me dit-elle. Et je ne veux pas risquer d'être à court.

Je lui demande si elle veut une tasse de café.

— Ma foi, je ne voudrais pas vous donner toute cette peine. J'en prendrai juste une demi-tasse.

Vers la fin de sa vie, Miss S. s'est liée d'amitié avec une ancienne infirmière qui habite le quartier. Celle-ci m'a mis en rapport avec un centre d'accueil, qui a accepté de recevoir Miss Shepherd, de lui donner un bain et de lui faire passer des examens médicaux. Elle peut même bénéficier d'une chambre isolée si elle le souhaite. Rétrospectivement, je me dis que j'aurais pu prendre cette initiative moi-même, des années plus tôt. Mais c'est seulement lorsque l'âge et la maladie l'ont affaiblie que Miss Shepherd a accepté une telle assistance. Et même à ce moment-là, il n'a pas toujours été facile de la convaincre.

27 avril 1989. Une ambulance rouge arrive, pour emmener Miss S. au centre d'accueil. Miss B. discute avec elle un moment dans la camionnette et réussit à l'extraire peu à peu du véhicule pour l'installer dans le fauteuil roulant. Des traces d'excréments maculent ses pieds enflés, une feuille de papier hygiénique flotte encore autour de sa cheville squameuse.

— Et si cela ne me plaît pas, je pourrais revenir ? n'arrête-t-elle pas de me demander.

Je la rassure, mais en regardant l'intérieur de la camionnette et en percevant l'odeur infecte qui en émane, je vois mal comment elle pourrait continuer à vivre plus longtemps dans un environnement pareil. Une fois qu'elle aura vu la chambre qu'on lui propose, la salle de bains, les draps propres, je n'arrive pas à imaginer qu'elle puisse avoir envie de revenir ici. D'ailleurs, elle insiste avec plus de véhémence qu'à l'ordinaire pour verrouiller la portière du véhicule, ce qui indique qu'elle s'est faite à cette idée. Je remarque de quelle manière le conducteur de l'ambulance, sans manifester le moindre dégoût, se penche vers elle pour l'installer sur l'élévateur, remettant soigneusement en place ses vêtements graisseux et rabattant sa jupe sur ses genoux pour ne pas offenser la pudeur. Une fois le fauteuil bien arrimé, elle s'élève lentement, franchissant la crête du mur d'enceinte avant d'être véhiculée dans l'ambulance. Il y a quelque chose de relativement distingué dans ce départ, comme si elle était la Dorothy Hodgkin des clochardes, lauréate déchue du prix Nobel, les plis de son visage crasseux figés en une sorte de satisfaction résignée. Peut-être même y prend-elle un certain plaisir.

Après son départ je fais le tour de la

camionnette, en remarquant les objets qui ont toujours été des sources de litiges entre nous : les morceaux du tapis qu'elle avait réussi à fixer sur le toit et la couverture étalée par-dessus pour assourdir le bruit de la pluie, ou les sacs en plastique bourrés de vieux vêtements qu'elle fourrait sous son véhicule – motifs de tant de batailles que j'ai invariablement perdues. Je l'imagine à présent après un bon bain dans ses habits propres, prête à entamer une nouvelle vie. Je me vois même allant lui rendre visite et lui apportant des fleurs.

Ce rêve ne tarde guère à voler en éclats. Vers 14 h 30, Miss S. refait son apparition, effectivement lavée de près, vêtue de frais, ses jambes squelettiques recouvertes par les longues chaussettes blanches de l'hôpital – mais visiblement enchantée d'être de retour. Elle me tend le numéro de téléphone où l'on peut joindre ses nouveaux amis :

— On peut les appeler n'importe quand, me dit-elle, y compris les jours fériés. Et leur bip fonctionne même lorsqu'ils sont loin.

Alors que je m'apprête à me rendre au théâtre, elle cogne à la fenêtre de la camionnette du bout de sa béquille. J'ouvre la portière. Elle est allongée dans des draps propres, une couette neuve a été étalée sur la couche d'ordures et de débris qui s'amoncellent dans le véhicule. Elle craint toujours que je ne la renvoie à l'hôpital. Je l'assure qu'il n'en est pas question et qu'elle peut rester ici autant qu'elle voudra. Je referme la portière, mais elle frappe à nouveau et je dois une fois encore la rassurer. Nouvelle fermeture de portière, nouveau coup de béquille.

— Mr Bennett...

Je dois faire un effort pour l'écouter sans perdre mon calme.

— Je suis désolée que la camionnette soit dans un tel état... Je n'ai pas été en mesure de faire mon nettoyage de printemps.

Le 28 avril. Je travaille à mon bureau quand j'aperçois Miss B. qui arrive avec une pile de vêtements propres destinés à Miss Shepherd. On a dû les laver pour elle au centre d'accueil hier. Miss B. frappe à la portière de la camionnette, avant de l'ouvrir et de pénétrer à l'intérieur – ce que personne n'a jamais fait à ce jour. Elle ressort au bout de quelques secondes et je comprends ce qui vient d'arriver avant même qu'elle ne sonne à la porte. Nous retournons ensemble à la camionnette où Miss Shepherd vient de mourir, étendue sur le flanc gauche, la chair déjà glacée, les traits émaciés et le cou tendu comme s'il était posé sur un billot. Une abeille volète en bourdonnant autour d'elle.

C'est une belle journée, le jardin brille sous les rayons du soleil, les ombres sont denses près des orties, les jacinthes se dressent au pied du mur et je me rappelle comment, dans ses rares moments contemplatifs, elle restait assise dans son fauteuil roulant à observer le jardin. Le remords m'envahit quand je songe à la manière dont je l'ai si souvent rabrouée, même si je sais bien que ce n'était pas par méchanceté. N'empêche, je n'avais jamais cru ni voulu croire qu'elle puisse être sérieusement malade et je regrette aussi de ne pas l'avoir suffisamment inter- rogée. Même si elle n'aurait sans doute pas répondu à mes questions. J'ai brusquement envie d'aller me planter sur le trottoir, devant le portail, pour annoncer la nouvelle à tous les gens qui passent.

Entre-temps, Miss B. s'est éclipsée et revient avec une charmante doctoresse de St Pancras qui semble à peine sortie de l'adoles- cence. Elle pénètre dans la camionnette, véri- fie le pouls de Miss S. sur son cou décharné, l'ausculte avec son stéthoscope et déclare qu'elle est morte d'un arrêt cardiaque, pour éviter une autopsie. Un prêtre vient ensuite la bénir avant qu'on ne l'emmène au funérarium, pénétrant à son tour dans le véhicule. Il est la troisième personne à le faire ce matin et aucune d'entre elles n'a manifesté le moindre dégoût, ni même marqué un instant d'hésitation avant d'entreprendre une action qui relève à mes yeux de l'héroïsme. Penché au-dessus du cadavre, ses cheveux blancs frôlant le plafond du véhicule, le prêtre murmure une prière inaudible et trace du doigt une croix sur les mains et le front de Miss S. Puis tout le monde s'en va et je rentre chez moi pour attendre les pompes funèbres.

Je suis assis depuis plus de dix minutes à mon bureau lorsque je me rends compte qu'elles sont déjà là depuis un bon moment et que la mort arrive de nos jours (ou s'en va) à bord d'une estafette de transit grise de la marque Ford garée devant votre portail. Les croque-morts sont au nombre de trois, les deux premiers assez jeunes et baraqués, le troisième plus âgé et plus expérimenté – l'équivalent d'un sergent et de ses deux caporaux. Ils sont munis d'un cercueil rudimentaire de couleur grise, qui évoque vaguement un accessoire de prestidigitateur. Sans faire le moindre commentaire sur les circonstances probablement extraordinaires qui leur ont permis de récupérer un tel objet, ils enveloppent le corps dans un grand sac-poubelle en plastique blanc et le transfèrent ensuite dans leur coffre magique, où il retombe avec un bruit sourd. De l'autre côté de la rue, les employés de la fabrique de pianos sortent pour aller déjeuner mais aucun d'eux ne s'arrête ni ne semble intrigué par cette scène. Une Asiatique qui doit attendre pour poursuivre son chemin que le cercueil ait franchi le trottoir, puis qu'on l'ait installé à bord d'une (autre) camionnette, ne se retourne même pas pour voir de quoi il s'agit.

Plus tard je me rends au bureau des pompes funèbres afin d'organiser les funérailles et le patron me présente ses excuses pour la manière dont son employée m'avait répondu lorsque j'avais téléphoné la première fois, me lançant d'un air excédé : « Qu'est-ce que vous voulez au juste ? » N'ayant jamais imaginé que les raisons qui poussent les gens à appeler les pompes funèbres puissent être d'une grande variété, j'étais resté un peu interloqué. « Vous voulez qu'on vienne vous débarrasser ? », avait-elle ajouté sans ménagement. Le patron une confie qu'elle n'avait d'abord pas pris mon appel au sérieux, ce qui explique son attitude peu amène.

— Vous n'imaginez pas le nombre de canulars dont nous sommes victimes de nos jours. Il m'arrive souvent d'aller chercher le cadavre d'un homme qui vient m'ouvrir sa porte en personne, tout aussi étonné que moi.

Le 9 mai. Les funérailles de Miss Shepherd ont lieu à Notre-Dame de Hal, l'église catholique qui se dresse au bout de la rue. Le service a été couplé avec la messe de 10 heures : en plus d'un petit contingent de voisins, la cérémonie réunit ainsi un certain nombre de fidèles qui doivent être des habitués de la paroisse : le petit bonhomme rondouillard, chaussé de baskets et de lunettes aux verres épais, que je vois tous les matins longer l'église en clopinant après avoir quitté Arlington House ; plusieurs religieuses, dont celle qui est aujourd'hui âgée de quatre-vingt-dix-neuf ans mais qui était en exercice du temps du bref noviciat de Miss S. ; une dame qui se bourre de bonbons pendant toute la cérémonie, coiffée d'un chapeau de paille d'un vert éclatant et évoquant une plante en pot renversée ; une autre qui joue de l'harmonium, arborant un pantalon élimé et une perruque en forme de cache-théière... Le servant, un individu aux cheveux blancs entre deux âges, ne porte pas de surplis mais des vêtements ordinaires, le col de sa chemise est déboutonné : en dehors du fait qu'il maîtrise le bon déroulement de l'office, il ressemble à n'importe quel client accoudé à la devanture du « Good Mixer », le pub voisin. Le prêtre est un jeune Irlandais rougeaud au visage de paysan et aux cheveux blond-roux : avec sa soutane crème aux motifs bariolés, il pourrait fort bien actionner un marteau-piqueur au milieu des ouvriers qui font actuellement des travaux dans la rue, un peu plus haut. Je ne cesse de penser à ces divers personnages, pendant ce pénible office, et cela ne fait que renforcer la conviction qui a toujours été la mienne : je n'aurais jamais pu être catholique, je suis bien trop snob pour ça. Le plus grand sacrifice qu'a dû faire le cardinal Newman lorsqu'il a tourné le dos à l'Église anglicane tenait probablement à son statut social.

Pourtant, les marques de gentillesse abondent. Devant nous se tient un vieil homme d'allure plutôt svelte qui connaît l'office par cœur : voyant que nous n'avons pas de livres de prières, il pose le sien sur son exemplaire du *Sun* et remonte la nef pour aller nous en chercher, avant de nous les distribuer. Il ne se trompe jamais dans les répliques. Le premier hymne est « Daigne nous éclairer, Seigneur » de Newman, que je me risque à entonner ; je m'abstiens en revanche de chanter le suivant, qui n'est autre que « Kumbaya ». Le prêtre a une bonne voix, mieux adaptée d'ailleurs à cette dernière chanson qu'aux hymnes de Newman et de J. B. Dykes. L'office lui-même est encore plus languissant que son équivalent anglican, même si l'on perçoit çà et là, dans ce langage édulcoré, un lointain écho de l'édition des Psaumes de 1662. Le moment que je redoute finit par arriver : la célébration de la communion, qui me rappelle toujours la séance d'échauffement que Ned Sherrin imposait au public réuni dans le studio, avant l'enregistrement de *Not So Much a Programme*, et au cours de laquelle tout le monde devait serrer la main de son voisin. Une fois encore, l'aimable vieillard qui nous a distribué les livres de prières se tourne vers moi et me tend la main avec un large sourire, sans manifester le moindre embarras. Vient ensuite la communion proprement dite : le prêtre distribue ses gaufrettes à la religieuse de quatre-vingt-dix-neuf ans et à la dame coiffée d'une plante en pot, tandis que Miss S. gît dans son cercueil non loin de là. À cela succède un dernier hymne, dû cette fois-ci à un parfait inconnu (de moi) : Kevin Norton, lequel a visiblement recyclé une chanson ayant échoué au concours de l'Eurovision. Et c'est accompagné par les intonations du prêtre – dans le rôle du chanteur – et de la congrégation qui lui tient vaguement lieu de chœur que le cercueil de Miss Shepherd quitte l'église.

Les voisins, qui ne sont pas vraiment en deuil, attendent sur le trottoir tandis que le cercueil est hissé dans le corbillard. « Un peu plus sélect que son précédent véhicule », remarque Colin H. Le ton reste à la comédie alors que la voiture qui doit accompagner le corbillard refuse de démarrer. La scène m'est familière, j'en ai été témoin à maintes reprises : Miss S. attendant dans sa Reliant qu'un inconnu ayant pitié d'elle vienne soulever le capot, brancher quelques fils et remettre le moteur en route. Sauf qu'aujourd'hui, elle est morte.

Clare, l'ancienne infirmière devenue ces derniers temps l'amie de Miss S., est la seule avec A. et moi à accompagner le corps. Nous contournons Hampstead Heath à une allure assez peu mortuaire, descendons Bishop's Avenue et remontons ensuite jusqu'au cimetière de St Pancras, ensoleillé et verdoyant par cette belle journée. Nous traversons les allées abritées par des arbres clairsemés et rejoignons l'extrémité du cimetière, où s'étendent de longues rangées de tombes nouvellement creusées, recouvertes pour la plupart d'une dalle de granite noir. Par un heureux concours de circonstances – si l'on considère l'amour qu'elle aura voué aux voitures sa vie durant – Miss S. est enterrée à un jet de pierre de la rocade nord, qui passe juste derrière le mur d'enceinte et dont le brouhaha couvre le discours du prêtre chargé de confier son corps à la terre. Il nous tend ensuite un petit flacon en plastique rempli d'eau bénite que nous agitons au-dessus de la tombe, accompagné d'une poignée de terre. On me laisse ensuite méditer seul un instant, puis nous regagnons Camden Town : la vie reprend brusquement ses droits, tandis que l'employé des pompes funèbres nous dépose devant le supermarché « Sainsbury » du coin.

Pendant les dix journées qui se sont écoulées entre la mort de Miss S. et ses funérailles, j'en ai davantage appris à son sujet qu'au cours des vingt années précédentes. Elle avait bel et bien conduit des ambulances durant la guerre et avait échappé de peu à la mort, après l'explosion d'une bombe. Je ne suis pas certain que son excentricité puisse être mise sur le compte de cet événement, pas plus que sur la légende que m'a confiée l'une des religieuses, selon laquelle ce serait la mort de son fiancé lors de cette explosion qui lui aurait « mis la tête à l'envers ». Il serait rassurant de se dire que l'amour, ou sa disparition, est une source d'équilibre pour l'esprit, mais je pense que ses tentatives antérieures – et ses échecs répétés – pour entrer dans les ordres montrent assez qu'elle avait déjà un caractère difficile lorsqu'elle était jeune (« elle ergotait trop », m'a dit une religieuse). Après la guerre, elle avait fait plusieurs séjours dans divers hôpitaux psychiatriques, d'où elle avait toujours réussi à s'échapper, passant finalement suffisamment de temps en liberté pour prouver qu'elle n'avait pas vraiment besoin d'une surveillance médicale.

Le tournant de sa vie s'était produit le jour où une moto était venue s'écraser contre sa camionnette, sans qu'elle soit en tort. Comme ses précédents véhicules, celui-ci n'était sans doute pas assuré, aussi n'est-il guère étonnant qu'elle ait pris la fuite (ou qu'elle ait « déguerpi », comme elle l'aurait dit) sans demander son reste. Le conducteur de la moto était mort des suites de ses blessures : et même si elle n'était pour rien dans cet accident, elle avait commis un délit criminel en s'enfuyant de la sorte. La police avait lancé un mandat de recherche contre elle. Après avoir modifié son prénom à l'époque où elle voulait entrer dans les ordres, elle changea cette fois-ci de patronyme : ce fut sous le nom de Shepherd qu'elle regagna Camden Town et les parages du couvent où elle avait jadis prononcé ses vœux. Et même si elle n'eut qu'assez peu de contacts avec les religieuses au cours des années suivantes, elle passa le reste de sa vie dans la proximité de leur établissement.

Tout cela, je l'ai appris au fil de ces derniers jours, comme si elle avait été un personnage de Dickens dont l'histoire et les secrets ne sont dévoilés que lors du tour d'horizon qui précède le dénouement final. Même si le seul résultat tangible de toute cette affaire, c'est que je suis désormais en mesure de garer ma voiture à l'endroit qu'avait occupé sa camionnette, toutes ces années durant.

POST-SCRIPTUM
(1994)

Cette évocation de Miss Shepherd synthé-
tise une partie des nombreuses notes que j'ai
prises à son sujet et qui sont dispersées dans
les pages de mon journal. Je n'ai pas vraiment souligné dans le texte final (bien qu'on
puisse le déduire à la simple vue des dates)
la gravité qui a marqué ses derniers jours. Le
dimanche qui a précédé sa mort, elle avait
assisté à la messe, ce qui ne lui était pas
arrivé depuis des mois. Le mercredi matin,
elle avait accepté qu'on l'emmène prendre
un bain et qu'on lui donne des vêtements
propres, puis qu'on la reconduise dans sa
camionnette après avoir changé ses draps.
Et elle est morte au cours de la nuit sui-
vante. Il y avait dans l'enchaînement de ces
divers événements quelque chose d'impla-
cable, au point que j'ai eu l'impression, en
les rédigeant la première fois, que je risquais

de remettre en cause la réalité de mon récit en insistant sur ce point – de lui donner en tout cas une tournure sentimentale ou mélo-dramatique. Toutefois, la doctoresse venue constater le décès de Miss S. m'a dit qu'elle avait déjà rencontré des cas similaires et que ce n'était pas la toilette en elle-même qui l'avait tuée, comme j'avais fini par me le demander : mais le fait d'accepter ce bain et ces vêtements propres était une manière à la fois de reconnaître que la mort approchait, et de s'y préparer.

Mon récit initial ne précise pas non plus de quelle façon j'ai été amené à connaître dans les jours qui ont suivi sa mort les don-nées de son existence qu'elle avait si long-temps dissimulées. Quelques mois plus tôt, une mauvaise grippe l'avait poussée à mettre un peu d'ordre dans ses affaires et elle m'avait montré une enveloppe dont je pour-rais avoir besoin « au cas où il m'arriverait quelque chose, sait-on jamais » : je la trou-verais à l'endroit où elle conservait ses livrets d'épargne ainsi que diverses paperasses, sous la banquette. Elle s'était bien gardée de me dire ce que contenait cette enveloppe et une fois rétablie, après avoir vaincu la grippe, elle n'y avait plus fait la moindre allusion.

Ce fut vers cette époque, néanmoins, qu'un soupçon m'effleura pour la première fois et que je me demandai si « Shepherd » était bien son véritable nom. Je savais qu'elle avait un peu d'argent de côté à la Abbey National, dont les luxueuses brochures atterrissaient régulièrement sous ma porte, montrant de jeunes propriétaires enjoués franchissant avec enthousiasme le seuil de leur première demeure et s'engageant d'un pas alerte dans une vie de béatitude hypothéquée.

« Votre courrier, Miss Shepherd », lui lançais-je en frappant à sa vitre et en attendant que sa main décharnée émerge du véhicule, avec ses longs ongles gris et ses doigts maculés d'ocre, comme si elle venait de modeler de l'argile. La brochure disparaissait dans l'obscurité fétide de la camionnette. Elle attendait un moment avant de l'ouvrir, la tournant à plusieurs reprises entre ses mains d'un air dubitatif jusqu'à ce qu'elle ait acquis l'assurance que cette offre mirifique n'était pas un piège de l'IRA. « Il pourrait s'agir d'une bombe, sait-on jamais. Ils connaissent parfaitement mes opinions. »

En 1988, la Abbey National s'apprêtait à modifier son statut de société de crédit immobilier pour devenir une banque à part entière, décision à laquelle Miss Shepherd était vivement opposée, pour Dieu sait quelle raison (probablement par simple refus de la nouveauté). Avant de remplir son bulletin de vote, elle m'avait demandé (en ayant soin de donner un caractère impersonnel à sa question) si les bulletins seraient considérés comme valides, au cas où les détenteurs des actions auraient changé de nom. Je lui avais répondu que selon toute évidence les bulletins de vote devaient être rédigés au nom de ceux qui avaient acheté ces actions. « Pourquoi me demandez-vous cela ? », avais-je ajouté. Mais j'aurais aussi bien fait de me taire : comme souvent, après avoir laissé brièvement entrevoir l'éclat d'une révélation, elle avait refusé de m'en dire davantage et s'était contentée de hocher la tête en silence, avant de refermer la vitre de la portière. Sauf que le lendemain, alors que je longeais la camionnette, sa main avait émergé de la fenêtre, selon sa bonne habitude.

— Mr Bennett... Ne parlez à personne de ce que je vous ai demandé hier, à propos de ces changements de nom. Je vous posais la question à titre purement théorique, sait-on jamais.

Je laissai la camionnette en l'état quelques

jours durant, après la mort de Miss Shepherd, moins par compassion ou par un vague sentiment de bienséance que parce que je ne me résolvais pas à y pénétrer. J'avais fixé un nouveau cadenas à la portière mais n'avais pas même pas tenté de récupérer ses livrets d'épargne ni de localiser la fameuse enveloppe. Toutefois, la nouvelle s'était répandue et un après-midi, en rentrant chez moi, j'aperçus un brocanteur qui rôdait dans les parages et je compris qu'il allait falloir que je serre les dents (ou que je me bouche le nez) et que je me décide à aller inspecter les trésors cachés de Miss Shepherd.

Pour être correctement exécuté, ce travail aurait nécessité l'intervention d'une équipe d'archéologues. À l'intérieur de la camionnette, la moindre surface était recouverte de plusieurs couches de vieux vêtements, de robes, de couvertures et de papiers empilés, dont certains n'avaient pas été déplacés depuis des années et gisaient sous une croûte de talc fossilisée. Dispensée avec générosité, aussi bien sur des couches usagées et de vieilles pantoufles imbibées d'eau que sur des conserves de haricots blancs à moitié entamées, cette poudre diffusait une odeur repoussante qui venait s'ajouter aux effluves de la camionnette, plutôt qu'elle ne les recouvrait. Dans l'étroit espace situé entre les deux rangées de sièges, où Miss Shepherd s'agenouillait pour prier et s'allongeait pour dormir, le plancher disparaissait sous un tapis de débris alimentaires, de biscuits émiettés, de pommes flétries et d'oranges pourries, auxquels se mêlaient une impressionnante quantité de piles électriques : certaines étaient encore dans leur emballage, d'autres s'étaient éventrées et leur contenu noirâtre et gluant s'était répandu avant de se mélanger à cette couche préhistorique où surnageaient des bouts de gâteaux spongieux et des restes de citrons givrés. Après avoir noué un mouchoir autour de mon visage, je soulevai l'un des sièges sous lesquels elle m'avait dit avoir caché ses livrets d'épargne. Le dessous du siège grouillait de mites et d'asticots, mais les livrets étaient bien là, ainsi que d'autres documents qu'elle jugeait importants : un certificat du ministère des Transports périmé de longue date et concernant sa Reliant ; un reçu relatif à des réparations qu'elle avait fait faire trois ans plus tôt ; un prospectus pour un séjour aux Seychelles qui accompagnait un flacon de produit d'entretien pour voiture… Mais l'enveloppe n'y figurait pas. Il allait donc falloir que je me lance dans l'exploration de la camionnette et dans la fouille systématique de ce monceau de débris, dans l'espoir de retrouver la note qu'elle m'avait dit avoir laissée à mon intention et qui contenait peut-être le fin mot de son histoire.

En fouillant ainsi son véhicule, ce n'était pas seulement l'enveloppe que je cherchais. Passant au crible les rebuts et les déchets qui s'étaient accumulés au cours des quinze dernières années, j'espérais découvrir un indice me permettant de comprendre les raisons qui avaient poussé Miss Shepherd à mener une vie pareille. Sauf qu'en me livrant à cette enquête, je tombai sur un certain nombre d'objets qui m'indiquaient qu'une « vie pareille » ne différait peut-être pas tant que ça de celle que mènent la plupart des gens. Je découvris par exemple une batterie complète d'ustensiles de cuisine – comportant notamment une louche, une spatule et un presse-purée – dont elle ne s'était jamais servie. C'était le genre d'articles que ma mère accrochait dans sa cuisine, simplement pour faire joli, alors qu'elle continuait d'utiliser les vieux appareils entassés dans son tiroir. Il y avait des cartons remplis de sachets de soupe instantanée et, bien sûr, des flacons de talc encore enveloppés dans leur cellophane. Eux aussi avaient eu leur équivalent dans les placards maternels. Ma mère adorait également stocker des rouleaux entiers de papier hygiénique : la camionnette de Miss S. en abritait une bonne douzaine, ainsi qu'un assortiment complet d'épices et de condiments qui n'avaient jamais quitté leur emballage d'origine. Comment, au milieu d'un tel chaos, pouvait-elle avoir imaginé qu'elle aurait un jour l'usage de pareils accessoires, symboles d'une vie domestique bien ordonnée ? Mais nous étions-nous davantage servis de ces ustensiles qui trônaient sur le buffet, destinés à une vie sociale que mes parents ne menaient pas et dont ils n'avaient d'ailleurs jamais rêvé ? Plus j'avançais dans mes explorations et moins la camionnette me paraissait extraordinaire : les objets qu'elle contenait et les aspirations dont ils témoignaient ne différaient guère, finalement, de ceux du milieu dans lequel j'avais été élevé.

Je trouvai également de l'argent. La petite sacoche que Miss Shepherd portait toujours autour du cou contenait près de 500 £ ; et en déblayant les couches ramollies qui tapissaient le sol du véhicule, j'en dénichai encore une centaine. Si l'on ajoutait à cela les sommes qu'elle possédait dans divers établissements de crédit immobilier et à la caisse nationale d'épargne, Miss Shepherd avait réussi à mettre environ 6 000 £ de côté. Comme elle ne touchait pas de retraite, l'essentiel de cet argent devait provenir de la modeste somme que lui versaient les Allocations familiales. Dans le contexte actuel, je me demande si les gens l'auraient félicitée pour son sens de l'épargne ou accusée au contraire d'être une pique-assiette. Ultra-conservatrice comme elle l'était, elle aurait sans doute pu figurer en bonne place sur la fameuse « petite liste » de Mr Lilley, en tant que Parasite-payée-à-ne-rien-faire de la société. J'aurais aimé assister à la scène, si jamais le député avait eu l'occasion et l'audace de lui dire cela droit dans les yeux.

Aussi modeste que soit l'héritage de Miss Shepherd, cela constituait une somme beaucoup plus importante que je ne l'avais imaginé et rendait d'autant plus urgente la découverte de cette enveloppe. J'entrepris donc de fouiller à nouveau le monceau de vieux vêtements, en tâtant cette fois-ci fébrilement leurs poches et en secouant les couvertures maculées de graisse, soulevant du même coup une nuée de mites et de divers autres insectes. Mais je ne découvris rien de plus, en dehors d'une carte de transport dont la photographie passablement sinistre semblait avoir été prise pendant le siège de Stalingrad et aurait mal auguré de la série plus ou moins satirique qu'elle m'avait un jour conseillé d'écrire à ce sujet. J'étais sur le point d'abandonner, en me disant qu'elle avait dû conserver cette enveloppe sur elle et qu'elle avait dû être enterrée en même temps qu'elle, lorsque je mis enfin la main dessus : imprégnée de potage, elle l'avait tout simplement fourrée dans la boîte à gants, à côté d'une nouvelle réserve de piles et d'écorces de citrons givrés. Sur l'enveloppe figurait l'inscription : « Pour Mr Bennett, au cas où ».

M'attendant toujours à une sorte de révélation (« si j'ai fini de la sorte, selon toute vraisemblance, c'est à cause de… »), je décachetai l'enveloppe. Mais fidèle à elle-même jusque dans son dernier message, Miss Shepherd n'avait pas voulu m'en dire plus qu'il n'était nécessaire. Sur la feuille glissée à l'intérieur figurait en tout et pour tout le nom d'un homme – différent du sien – suivi d'un numéro de téléphone dans le Sussex.

Je nettoyai ensuite la camionnette de fond en comble, astiquant les ailes, les portières et les fenêtres, de sorte que pour la première fois depuis son installation le véhicule dégageait une douce odeur – encore que cet adjectif ne soit guère approprié, car c'était bien une odeur d'une douceur étrangement repoussante qu'elle avait réussi à y faire régner. Mon voisin, le peintre David Gentleman, qui avait exécuté dix ans plus tôt un croquis sur le vif de Miss Shepherd surveillant le départ de sa précédente camionnette, vint faire une esquisse plus romantique de son dernier véhicule, envahi par les herbes qui proliféraient tout autour et dont les rideaux étaient soulevés par la brise du printemps.

Le 2 mai 1989. Cet après-midi a débarqué un récupérateur d'allure plutôt fringante, qui prétend avoir refusé voici une quinzaine d'années d'exécuter un arrêt du conseil municipal exigeant l'enlèvement de l'une des précédentes camionnettes de Miss Shepherd. Il aurait alors argué du fait que quelqu'un vivait à l'intérieur, mais il pourrait aussi bien s'agir d'une simple astuce pour justifier sa requête. Il reste un moment sur le seuil, attendant peut-être de voir si je vais lui réclamer quelque chose. Et j'attends de mon côté, en me demandant s'il a l'intention de me facturer sa prestation. Notre silence réciproque semble indiquer que l'affaire est conclue, sans exigence financière de part ni d'autre, et le récupérateur revient une heure plus tard avec un camion-remorque. Tom M. prend une photo tandis que la camionnette de Miss S. franchit le portail, traînée comme une carcasse d'éléphant, puis hissée sur une rampe à l'arrière du camion, arborant toujours ses pneus miraculeux. Du bout du doigt, le récupérateur écrit « remorquage » sur la couche de crasse qui couvre le pare-brise. Je pose devant le capot pour une ultime photo (qui refusera d'ailleurs de sortir) puis la camionnette remonte pour la dernière fois le Crescent, laissant dans le jardin un emplacement désespérément vide, aussi vaste que la piazza San Marco.

Le 5 mai 1989.
— Mr Bennett ?
La voix dans l'écouteur, plutôt ferme, a quelque chose de militaire, bien que dénuée d'accent à proprement parler, et sans que rien puisse laisser soupçonner que mon interlocuteur a plus de quatre-vingts ans.
— Vous m'avez envoyé une lettre à propos d'une certaine Miss Shepherd qui serait

morte dans votre jardin, si j'ai bien compris. Je dois vous dire que je n'ai jamais entendu parler d'elle.

Un peu déconcerté, je lui décris Miss Shepherd et la situation qui était la sienne, avant de lui préciser sa date de naissance. Il y a un bref silence à l'autre bout du fil.

— Oui, finit-il par me dire. Il s'agit indubitablement de ma sœur.

Il me raconte alors son histoire et comment, de retour d'Afrique à la fin de la guerre, il s'était aperçu qu'elle persécutait leur mère, lui répétant à longueur de journée qu'elle était méchante, l'obligeant à manger tel type d'aliment, lui en interdisant tel autre – au point qu'il avait fini par la faire interner dans l'asile psychiatrique de Hayworth's Heath. Il me résume la suite de son histoire, du moins pour ce qu'il en sait, et me dit que leur dernière entrevue remonte à plus de trois ans. Il s'exprime de manière directe, avec une certaine franchise, et ne me dissimule pas qu'il se sent vaguement coupable de l'avoir fait enfermer jadis, même s'il ne voit pas comment il aurait pu procéder autrement. Ils ne s'étaient jamais entendus et il ne comprend pas comment j'ai fait pour la supporter pendant toutes ces années. Je lui parle de l'argent qu'elle a laissé, m'attendant plus ou moins à ce qu'il change de discours et me dise qu'ils étaient finalement assez proches. Mais pas du tout. Étant donné qu'ils n'étaient pas en bons termes, il ne veut pas entendre parler de cet argent et me dit que c'est à moi de le garder. Je lui rétorque qu'il n'en est pas question, il me suggère alors d'en faire don à une association caritative.

Anna Haycraft (Alice Thomas Ellis) a fait allusion à la mort de Miss S. dans sa chronique du *Spectator*. Je le lui apprends, afin de lui montrer que certaines personnes avaient eu de l'affection pour sa sœur et ne l'avaient pas seulement considérée comme une vieille dame irascible.

— Irascible n'est pas exactement le terme approprié, me dit-il avec un petit rire.

Je perçois la présence de son épouse à ses côtés et les imagine remâchant mes propos après avoir raccroché.

Je les digère moi aussi, de mon côté, et m'interroge sur l'existence au bout du compte assez aventureuse de Miss S., qui contraste singulièrement avec la timidité de la mienne – la vie étant plus ou moins l'inverse de l'expression, pour reprendre la formule de Camus. Et je vois bien que la situation de Miss Shepherd et de sa camionnette durant toutes ces années – devant mon bureau, mais légèrement sur le côté – correspond à celle de la plupart des choses sur lesquelles j'écris : toujours un peu décalées, jamais tout à fait face à moi.

Un an plus tard, me rendant non loin du village où vit Mr F., dans le Sussex, je lui téléphonai pour lui demander si je pouvais passer le voir. Entre-temps, j'avais écrit un texte sur Miss S. dans la *London Review of Books* et enregistré une série d'émissions à son sujet pour Radio 4.

Le 17 juin 1990. Mr F. et son épouse habitent un petit pavillon dans un lotissement moderne, le long de la route nationale. Comme il n'avait pas eu un seul instant d'hésitation en refusant l'argent qu'avait laissé sa sœur, je m'étais attendu à un cadre plus imposant. En fait, Mrs F. est invalide et leurs conditions de vie sont de toute évidence modestes, ce qui rend son refus plus méritoire que je ne l'avais supposé. À en juger par l'attitude qu'il avait eue au téléphone, je m'attendais à un individu sérieux et réservé, mais c'est un homme jovial et rondouillard.

Sa femme et lui rient sans arrêt et ils m'ont fait goûter un gâteau délicieux – qu'il a préparé lui-même, Mrs F. étant rongée par l'arthrite – avant de répondre patiemment à mes questions.

La plus étonnante de leurs révélations, c'est que Miss S. était une pianiste de talent dans sa jeunesse : elle était même allée à Paris pour suivre les cours de Cortot, lequel lui avait dit qu'elle pouvait envisager une carrière de concertiste. Sa décision d'entrer dans les ordres avait mis un terme définitif à ces projets musicaux « et cela n'a sûrement rien arrangé à son caractère », précise Mr F.

Il évoque les visites qu'elle leur rendait : elle ne passait jamais par la porte d'entrée mais traversait le champ qui s'étend derrière leur maison et escaladait la barrière. Elle n'avait jamais prêté la moindre attention à Mrs F., soupçonnant à juste titre que les femmes risquaient de se montrer moins tolérantes à son égard que les hommes.

Il me dit aussi que cette histoire de fiancé dont m'avaient parlé les religieuses était de la pure invention : les hommes ne l'avaient jamais intéressée. À l'époque où elle conduisait des ambulances, les autres chauffeurs la taquinaient et lui avaient même demandé un jour pourquoi elle ne s'était jamais mariée. Elle s'était redressée et leur avait répondu : « Parce que je n'ai jamais rencontré un homme capable de me satisfaire », ce qui avait déclenché un fou rire général. Une fois rentrée chez elle, surprise de leur réaction, elle avait rapporté l'anecdote à sa mère, qui avait éclaté de rire elle aussi.

Mr F. n'a pas fait mystère de la situation autour de lui, en particulier depuis que mes émissions ont été diffusées. Il raconte à ses amis qu'il a passé sa vie à essayer de se faire un nom mais que sa sœur, qui vivait comme une clocharde, est plus célèbre aujourd'hui qu'il ne le sera jamais. Il me parle aussi de sa carrière en Afrique et m'explique qu'il travaille toujours à mi-temps comme vétérinaire. Je finis par me dire que sa femme et lui forment un couple d'une gentillesse et d'une drôlerie irrésistibles – et aussi doué dans le domaine pratique que l'était Miss S. dans les choses abstraites : le frère tenant un peu le rôle de Marthe et la sœur celui de Marie.

Lorsque j'entends à présent le bruit d'une portière de camionnette, je me dis souvent : « C'est Miss Shepherd » et je relève instinctivement la tête pour voir quelle tenue elle a revêtue ce matin. Mais la tache d'huile qui marquait l'emplacement de son véhicule a disparu depuis longtemps, tout comme les gouttes de peinture jaune sur le trottoir. Elle n'en a pas moins légué à l'ensemble du quartier un héritage plus durable. Dans mon esprit, les mites sont associées aux années 1940, comme la diphtérie ou la brillantine, et je les croyais définitivement reléguées dans les limbes du passé jusqu'à ce que Miss Shepherd vienne s'installer dans mon jardin. Mais tout comme ce furent des vêtements, selon la légende, qui répandirent la peste à partir du petit village d'Eyam, dans le Derbyshire, ce fut un ballot de fripes de Miss Shepherd pourtant hermétiquement scellées dans un sac en plastique noir qui introduisit le mal dans ma demeure, où il se répandit d'abord dans ma penderie, puis de la penderie au tapis – chaque nouvelle apparition de mites déclenchant une salve frénétique de claquements de mains et de semelles martelant le sol. Après sa mort, le vigoureux nettoyage de la camionnette auquel j'avais procédé devait diffuser le mal encore plus largement, de sorte qu'aujourd'hui la plupart de mes voisins ont reçu à leur corps défendant leur part de cet indésirable héritage.

La tombe qu'elle occupe au cimetière d'Islington, à St Pancras, est à peine aussi large que l'espace exigu dans lequel elle a dormi au cours des vingt dernières années. Aucune inscription n'y figure mais je me dis que pour quelqu'un qui a manifesté une telle réticence à avouer son véritable patronyme et à divulguer le moindre renseignement à son sujet, ce n'est sûrement pas pour lui déplaire.

DU MÊME AUTEUR

Aux Éditions Denoël

LA MISE À NU DES ÉPOUX RANSOME, 1999, *nouvelle édition*, 2011 (Folio n° 5301).

JEUX DE PAUMES, 2001.

SOINS INTENSIFS, 2006.

LA REINE DES LECTRICES, 2009 (Folio n° 5072).

SO SHOCKING !, 2012

Chez d'autres éditeurs

MOULINS À PAROLES I, Actes Sud, 1992.

ESPIONS ET CÉLIBATAIRES : UN DIPTYQUE, Bourgois, 1994.

MOULINS À PAROLES II, Actes Sud, 2009.

LA DAME À LA CAMIONNETTE, Buchet-Chastel, 2014 (Folio n° 5938).

Composition Nord Compo
Impression Novoprint
à Barcelone, le 13 avril 2015
Dépôt légal: avril 2015

ISBN 978-2-07-0461448-6 / Imprimé en Espagne.

277141